FIREを目指せ 最強の人生向上術

経済的自由を達成する方法

スコット・リーケンズ
富永晶子［訳］

HOW FAR WOULD YOU GO FOR FINANCIAL FREEDOM?

PLAYING WITH FIRE

FINANCIAL INDEPENDENCE RETIRE EARLY

SCOTT RIECKENS

TAKESHOBO

PLAYING WITH FIRE

by

Scott Rieckens

序文

われわれはいま、これまでになく豊かで高級志向の生活を送っている。車はより速くなり、テレビの画面も大きくなり、ほぼどの時代と比べても（平均収入の割に）食べ物が安く手に入るようになった。ところが、どういうわけかほとんどの人々が、収入の範囲内でやり繰りするのに四苦八苦している。

なぜか？　狡猾なマーケティングによって巧妙に張り巡らされた巨大な罠が、われわれの最終目標とも言うべき幸せで満ち足りた人生の実現を阻んでいるからだ。この罠にはまったが最後、飛ぶようにお金が出ていく、ストレスに満ちた日々が待っている。現代社会では〝消費主義〟とも呼ばれるこの罠は至る所に隠されているため、大半の人々が何の疑問も持たずに〝現実〟として受け入れている。

アメリカを始めとする豊かな国では、ほぼ全員がこの罠にはまっていると言っても過言ではない。誰もが自由に使える時間の大半を犠牲にして、できるだけ給料のいい仕事につき、その収入で手に入るかぎり高価な家や車、電化製品などを購入する。それどころか、多くの人々が収入以上の贅沢(ぜいたく)を求めてローンを組み、リース契約を結ぶ。

そして支払いが収入を上回ると、働く時間を増やす。こうして自由に使える時間はますます少なくなり、「こんなに必死に働いているんだから、たまにはいいだろう」と、〝自分へのご褒美〟に散財し、ますます深みにはまっていく。

いますぐやめろ！　その考え――そのすべてが罠だ！

そう言うのは簡単だが、誰も彼もが同じ罠にはまり、それに倣わない者に変人のレッテルを貼る、ひどい場合には非難すら浴びせてくる状況で、どうすれば大量消費をやめられるのか？　それに配偶者が、ローンを組んででもゆったりした快適な四輪駆動車に乗りたい、ブランド服を仕事に着ていきたい、と譲らないかもしれない。

大量消費の罠は、前世紀から巧妙に人々の頭に刷り込まれてきた。しかもこの〝罠〟は、周りと自分を比較して〝みんながやっているから正しい〟と真似(まね)をしたがる人間特有の弱さにつけこんでくる。

しかし、周りの人々を真似る必要はない。それどころか、真似をすればまず間違いなく失敗する。20年近く働いてきた平均的な40歳のアメリカ人にわずか数千ドルしか貯金がないのは、彼らがほかのみんなと同じことをしているからにほかならない。資産と自由を手にするコツは、人生におけるほかのスキルの習得法とまったく同じだ。ほかの人々より貯金を増やしたいのなら、人と違うことをしなくてはならない。

昔から倹約家だった私は、自分が稼いだものをできるだけ有意義に使いたいという気持ちが強かった。ほかの人々がそれぞれの収入をどう使おうと、真似をしたいと思ったことは一度もない。それに加えて、働き始めた頃から似たような考えの恋人がいたから、働く年数を短縮して30歳で引退するとき、大きな反対に遭うことはなかった。

しかし、大半の人々にとっては、FIRE（Financial Independence Retire Early〔経済的に独立し、早期退職する〕）までの道のりはずっと困難なものになるにちがいない。読者のなかには、もともと高額な支出やローンを組むのが当たり前の家庭に育ち、成人後も消費に明け暮れるのが当然という環境を当然とみなし、同じ考えを持つ相手と結婚している人もいるだろう。いったんそういうライフスタイルに囚われてしまうと、そこから這い出るのは至難の業だ。

スコットとテイラーがFIREを実現する道のりを語った本書を私が非常に有意義だと思うのは、まさにその理由からである。人生観がまったく異なっていたにもかかわらず、ふたりは同じ目標に向かって突き進むことができた。ふたりが直面した困難には、おそらく多くの人々が共感できるだろう。何よりも素晴らしいのは、スコットとテイラーが夫婦として、親友としての絆(きずな)をしっかりと保ちながら、価値観の違いに折り合いをつけ、困難をひとつひとつ乗り越え、えて前進し続けていることだ。

ふたりはFIRE達成に着々と近づき、仕事に縛られる期間を20年以上も縮めようとしている。しかも、有意義な案件にはこれまでにない情熱を注ぎ、仕事を楽しんでいる。正直に言うと、本書の初めでスコットが描写しているような夫婦がFIREのライフスタイルを実践できるとは思ってもいなかった。

だが、彼らの成功を目にしたいま、どんなカップルでも、経済的な独立がもたらす大きな喜びを味わえることが実証されつつある。本書を手にした読者の前にも、新たな道が拓(ひら)けるにちがいない。

――ピート・アデニー、またの名を〝Mr.マネーマスタッシュ〟

FIREを目指せ　最強の人生向上術◉目次

CHAPTER 5 : BMWs AND BOAT CLUBS

第5章　BMWとボートクラブ　95

CHAPTER 6 : GOODBYE, CORONADO

第6章　さらば、コロナド　115

CHAPTER 9 : GETTING SCHOOLED IN FIRE

第9章　ＦＩＲＥの〝学び〟

CHAPTER 10 : FAMILY AND FRUGALITY

第10章　家族と節約

FIREとは何か

INTRODUCTION TO FIRE

有意義で幸せな人生を送りたい。人は昔から、こう願ってきた。ソクラテスは「幸せの秘訣は多くを求めるのではなく、少なきを楽しめる能力を磨くことにある」と語り、孔子は、人が「善き思考に耽れば」、その分幸せになると教え、アリストテレスは「幸福は心の持ちようである」とした。身に着けている時計や訪れた国の数は、幸福度とは関係ない。現に最近のリサーチも、「生涯を通じて人に喜びを与えるのは富や名声ではなく、人との深い関わり合い」であることを示している。これらはどれもみな目新しい考えではない。おそらく読者も、「大きな家を持ったからといって、幸せにはなれない」と言われれば、躊躇なく同意するだろう。それなのになぜか多くの人々が、長続きする深い幸せを求める代わりに、一時的に得られる満足感を得ようと、せっせと働き浪費する悪循環からどうしても抜けられない。僕もそういう過ちをおかしていた。妻のテイラーと僕は、安らぎや、夫婦一緒に過ごす時間、子どもと過ごす時間、友人との時間を犠牲にして、もっとたくさんの物を買うために仕事を増やし続けた。高級車やお洒落なレストランでの食事が幸せをもたらすわけではないのはわかっていたが、それを求めずにはいられなかった。

ところが、33歳のとき、僕はＦＩＲＥと呼ばれる興味深いムーブメントに出会った。ＦＩＲＥとは「Financial Independence Retire Early（経済的に独立し、早期退職する）」の頭文字で、積極的に貯蓄と低コストの投資を行って経済的に自立し、貴重な資源である〝時間〟を取り戻すことを目指すライフスタイルだ。実践者の職種や収入レベルは実に様々で、最終目標は「ＦＩＲＥ」、すなわち働かなくても生活費を払えるだけの不労収入を得ることである。もちろん、この目標に達した人々のすべてが完全にリタイアするわけではない。多くの人々はその後も仕事に情熱を燃やし、働き続けているが、仕事を辞めて世界旅行に出かけたり、非営利事業を設立したり、クリエイティブなプロジェクトを手掛ける、あるいはシンプルなライフスタイルを楽しむ人々も多い。実際、標語は「早期退職」でも、ＦＩＲＥを目指す人々は「退職（リタイア）」という表現とその言外の意味にはたいてい否定的だ。経済的な独立を目指す一番の理由が、たとえ収入に繋（つな）がらなくても自分が本当にやりたいことを追求する自由を手にするためだからである。多くの場合、ＦＩＲＥを志す目的は、日がな一日海辺でカクテルを飲みながら余生を過ごすことではない。かぎりある貴重な人生を、自分が本当にやりたいことをして過ごすためなのだ。

この本を書くうちに、僕はＦＩＲＥの実践を、「日々の単調な仕事」の解毒剤だとみなすようになった。もちろん、自分の仕事が好きな人もいれば、そうでない人もいる。いまの仕事は好きじゃないって？――そう思っているのはきみだけではない。統計によれば、この国の就労者の半分が自分の仕事に不満を持っているそうだ。だが、おそらくきみは、「どんなにいやでも辞められない」と思っているだろう（僕はそう感じていた）。しかし、本当にそうだろうか？もしも経済的に独立すれば（つまり、仕事の収入を当てにしなくてすめば）、気に染まぬ仕事はいつでも辞められる。それに、いまの仕事にやりがいを感じている者にとっても、好きなときに辞められる選択肢を持つのはいいことだ。毎月の給料が入ってこないと生活できなければ、あれこれ妥協を強いられるばかりか、仕事を辞めればたちまち暮らしに困ることになる。

だが、給料がなくても暮らしていけるとしたら？ その場合は、どんな選択をする？ ＦＩＲＥを達成すれば、選択できる自由を摑めるのだ。

いい考えだろう？

では、その自由な人生を手に入れるにはどうすればいいのか。簡潔に言うと、支出を抑え、貯金を殖やし、その貯金を投資に回せばいい。収入の50パーセントから70パーセントを貯蓄に回し、それを手数料の低い投資信託で運用して、およそ10年でリタイアする――これがＦＩＲＥ達成への一般的な道筋だ。言うまでもなく、実際の数字は個々の状況により異なる。本書に記されているＦＩＲＥの基本となる方程式および公式に、自分の収入や支出をあてはめれば、

ＦＩＲＥを目指すことが自分にとって正しい選択かどうかがわかるはずだ。

ＦＩＲＥで肝心なのは「支出を減らす」ことだが、言うまでもなく、これを実践するのは簡単ではない。しかし、ＦＩＲＥコミュニティでは驚くほど創意と工夫に富んだ、奇抜かつ独創的な節約術が用いられていて、どんな手段を使うかは、状況に応じて取捨選択、変更できる。だから、実際に決める前に、服を試着するように様々な手段を試してみればいい。一般的な倹約法を挙げると、いままでひとり暮らしをしていたのならルームメイトと住む（家賃が半分になる）。家賃や家が安い地域に引っ越す。外食をやめて家で料理する。車が必要なら、現金で中古車を購入する。2台以上所有していれば1台に減らすか、思いきって車を持たない生活に切り替える。食料品はまとめ買い。休暇は格安旅行か、〝節約術〟を駆使して楽しむ。高級なバッグや靴、時計、電化製品、装飾品、家具などの贅沢品は買わない、などなど。なかには、キャンピングカーで暮らす、トレーラーハウスに引っ越す、食料を自家栽培に切り替える、何年も物を買わない、氷点下でも自転車通勤を敢行するなど、極端な方法を取る人々もいる。低コストのライフスタイルを実現するため外国に移住する実践者すらいるくらいだ。

２０１7年の初めにＦＩＲＥを知ったとき、僕はすぐさまそういう選択をしたわけではない。ただ、当時３００ドルのディナーを気軽に楽しみ、週末はラスベガスに飛んで友人とゴルフに興じ、常に新車をリースする生活を送っていた僕は、前述のような極端な倹約生活を選ぶ人々に、控えめに言っても興味を掻きたてられた。そこまでするには、いったいどれだけの覚悟が必要なのか？　中流階級の大半がハマっている罠（大量消費）から脱した生活とは、どういうものなのか。それに、こうも思った。同じ中流階級のひとりとして、僕は彼らより贅沢をし、楽しい経験をしているのだから、何倍も幸せなはずじゃないか？　それなのに贅沢をあきらめた人たちのほうがあんなに幸せに見えるのは、どういうわけだ？

幸せになるにはいくら必要？

イギリスの総合学術雑誌〈ネイチャー〉に掲載された統計によれば、人が幸せを感じる最も望ましい収入額というものが存在する。164カ国に住む170万人を対象に行われた調査では、人が満足を感じる理想的な年間の所得は6万ドルから7万5000ドル（あるいは各国の通貨でこれに匹敵する額）だという。つまり、7万5000ドル以上稼いでも、一時的な満足感は得られるにせよ、総体的な幸福度が増すことはないのだ。

ＦＩＲＥへの興味が深まるにつれて、このムーブメントに対する自分自身の気持ちの変化と、周囲の人々の反応にも好奇心をそそられた。賛成派によれば、ＦＩＲＥは「人生を一変させる概念」であり「幸せを摑む秘訣」でもある。一方、反対派は、倹約一筋の生活で心が満たされるはずがないと冷笑し、「40代でリタイアしたら、退屈するだけだ」と指摘した。仕事から得られる収入があるからこそ自分が本当にやりたいことにチャレンジできていると常日頃感じていた僕は、仕事を辞めても退屈することはないという確信があったものの……果たして僕らに倹約生活が送れるだろうか？　いま思い返してみるとたしかに贅沢だったが、当時は僕らふたりとも、自分たちがごく平均的な生活を送っていると思っていたのだ。その平均的な生活のコストを半分に切り詰めることなどできるわけがない。年間10万ドル以上の収入に見合う贅沢な暮らしをあきらめるのは難しかった。支出の大部分が「欲しいもの」ではなく「必要なもの」だと感じていたのだから、なおさらである。ＦＩＲＥを目指すと決めた直後は、悪戦苦闘し、言い争いや失敗の連続で、何度か「もうだめだ。倹約はいったん忘れよう」と弱音を吐いたこともあった。

ところが、支出を大幅に減らして2カ月もすると、コストのかからないシンプルなライフスタイルがポジティブな変化をもたらすことに気づき始めた。そして、ＦＩＲＥの戦術や哲学だけでなく、これを実践している人たちのことや、彼らの人生がいかに変わったかも、もっと知りたくなった。ＦＩＲＥの体験を本にし、ドキュメンタリーにしようと思い立ったのはそのときだ。10年のあいだ映像監督とプロデューサーとして働いてきた僕にとっては、それが新しい生き方にどっぷり浸かる願ってもないチャンスに思えた。よく知っている手段を通して、まったく知らない概念を学び尽くそう、僕はそう決意した。ＦＩＲＥの仕組みと、僕と妻のテイラーがその原則をどう実生活に取り入れていくかを記録することで、責任を持ってこの新たな試みを実践していけるにちがいない。本書『ＦＩＲＥ　最強の人生向上術』はそこから生まれた。ドキュメンタリーのほうは、２０１９年に公開が予定されている（訳註：全米では２０１９年に限定公開後、ＤＶＤ化やネット配信されている。日本では残念ながら未公開）。どちらのプロジェクトにも、暗中模索状態の僕らの姿がありのままに描かれている。僕らは失敗するのか？ＦＩＲＥを選んだのは間違いだったのか？　この質問の答えは読んで（あるいは観て）のお楽しみだが、これだけは言える。ＦＩＲＥにより僕の人生は向上した。たくさんの人々が同じ喜びを味わうことを願って、これまでの経験を分かち合いたいと思う。

ＦＩＲＥは金持ちの専売特許か？

この1年、僕は何度もこう訊かれた。

少々誘導尋問の意味合いも含まれているこの問いに対して、僕ができるのは自分の経験をシェアすることだけだ。僕はＦＩＲＥを目指す多くの人々と連絡を取っているし、それ以外にも何千という人々から問い合わせを受けている。そのなかには年収20万ドルのエンジニアもいれば、年収の合計が7万ドルの家族もいる。独身者に、子沢山の家族。年収3万5０００ドルのバリスタに、年収40万ドルの株式ブローカー。中卒の人々もいれば、博士号を持っている人々もいる。ニューヨークやロサンゼルスのような大都市の住人や、ケンタッキーやアイオワ州のような地方在住者、インドネシアやフランス、スウェーデン、アイルランド、メキシコなど外国に住む人々もいる。

このように、ＦＩＲＥを目指す者のバックグラウンドは様々だが、頻繁にこの質問が出るのはそれなりにわけがある。標準より高い給料を得ているほうが、はるかにＦＩＲＥを達成しやすいのはたしかだ。ミレニアル世代の大半、とくに教育ローンの借入額が記録的に跳ねあがった２００８年の不景気のさなかに大学を卒業した若者にとっては、多額の貯金をするなどとうてい不可能に思えるだろう。だが、ＦＩＲＥの原則はどんな収入レベルにもあてはまる。目標の達成に５年、10年、あるいは30年かかろうと、支出を減らして貯蓄を増やし、物欲よりも幸福感を優先して自分の時間を取り戻すことは、誰にでもできるのだ。人には、所有物や職業、給料の額に関係なく、幸せな生活を送る権利がある。ＦＩＲＥはそれを達成する手段のひとつだ。本書では、様々なバックグラウンドやビジネス・チャンスを持つ人々の経験談を取りあげている。自分と似た状況にある人々の経験談から有益なヒントを得てもらいたい。

ＦＩＲＥと聞くと、「狭い家に住むケチな変人のたわ言だ」とあっさり無視したくなる衝動に駆られるかもしれない。だが、ちょっと待ってくれ。２０１７年度は、消費者債務が過去最高の13兆ドル近くに達し、家計の貯蓄はここ12年で最低に落ち込んだ。２０１６年度の統計によれば、69パーセントの国民は１０００ドル以下の蓄えしかなく、34パーセントは貯金がまったくない。経済的ストレスなどないのが一番だが、この統計によれば、アメリカの国民の多くが常にそのストレスにさらされていることになる。我が家の収入は、大半の人々に比べれば多いほうだったとはいえ、僕も常に支払いに追われていた。２０１6年当時、僕ら夫婦の年収は合計18万６０００（税引き後14万２０００）ドルで、ふたり合わせて3万５０００ドルの学生ローンを前年に払い終えたばかり。給料は標準より高いが、僕らは収入のほぼすべてを使っていた。

ほとんどの人々は自分の収入や純資産額、ローンの総額を人に話したがらない。数年前、金融機関ウェルズ・ファーゴが行った調査によれば、「お金」の話は、なんと死や宗教、政治を抜いて最も避けたい話題の第一位だった。ＦＩＲＥムーブメントに加わる以前も僕にはほぼなんでも話せる親しい友人や親戚が大勢いたが、給与額や、個人型確定拠出年金（４０１ｋ）の貯蓄額を話題にしたことは一度もなかった。なぜか？　おそらく金銭の話は、成功や地位をひけらかすことになると感じたからだろう。「お金」には、金銭以外の多くの意味が含まれているのだ。

しかし、ＦＩＲＥコミュニティは一般社会とはまるで違う。オンライン・フォーラムから実際に顔を合わせるミートアップ、毎月純資産を更新するブロガーまで——このコミュニティは「オープンで相互協力を惜しまない」という原則の上に築かれている。ＦＩＲＥを実践し、多くの人々と知り合ううちに、金銭的な話を避けるのは「百害あって一利なし」だということが僕にもわかってきた。僕らは何を隠そうとしているのか？　罪悪感？　恥？　不安？　その不安は、育ちから来るものか？　僕らは欲張りだとか愚かだと思われるのを恐れているのだろうか？　だが、そういったつまらぬこだわりを捨てて情報と知識を分かち合えば、みんなの助けになる。だから、僕らはこの本に我が家の財政状況を包み隠さずに書こうと決めた。いくら稼ぎ、いくら使い、いくら貯蓄に回したか、ＦＩＲＥによってどんな変化が生じたか。それを正直に書くことで、毎日の会話に「お金の話」を取り入れることの大切さを、身を持って示したい。その理由は、自分たちの例を基準にするためでも、比較の対象を提供するためでもなく、「お金の持つ力」から自由になるため。読者が「お金」との関係を再構築し、「お金」が持つ本当の意味を考え直す手助けをするためである。「お金」はあくまで目的を果たすひとつの手段にすぎない。そして何を手段とし、何を目的とするかを決めるのはきみ自身だ。家族や親しい友人と詳しい経済状況を話し合うのは気まずいとしても、正直に「お金の話」ができるオンライン・フォーラムにぜひ参加してもらいたい（もちろん、匿名でかまわない）。

バックグラウンドや状況はひとりひとり違う。ＦＩＲＥを始めたときの我が家の財政状況は、当然きみには当てはまらないだろう。テイラーも僕も裕福な家の生まれではないが、ふたりとも幸運なことに大学に進学し、卒業後には学生ローンの返済が少し残ったものの、クレジットカードなどの負債を作らずにすんだ。また、健康にも恵まれ、大きな借金を必要とする、あるいは給料が減るような非常事態に陥ったこともなかった。幸運にも、「手に職をつけ」、年収が高い業界に就職するチャンスを摑んだ。けれども、僕らは多くの人々と同じ問題を抱えていた。そう、自分たちの収入を最も効果的に使う代わりに、無駄に使っていた。恵まれた状況を最大限に利用することも、社会に還元することもせず、長い時間働いて得た収入を、自分たちを幸せにし、成功を実感させてくれる（と自分たちが思いこんでいた）ものに注ぎこんでいたのだ。そして、多くの人々と同じように、収入が増えるにつれて「生活水準」を上げた。もっと高級なものを買い、外食の回数を増やし、お金のかかる遊びに興じるようになったのである。こうした生活水準の上昇を放置すれば、やがては財政危機にさらされるどころか、破産する可能性もあるというのに、収入を追いかけるように支出が増えていくことに注意を向けようとしなかった。

『ＦＩＲＥを目指せ　最強の人生向上術』を書いた目的は、実際に体験した立場から〝別の道〟――つまり、流行に左右されないユニークで興味深い人生設計と人生哲学――を示すことだ。「十人十色」と諺にもあるように、本書が示す道は万人には適さない。しかし、本書がきみ自身の経済的選択とライフスタイルの選択をいま一度じっくり検討するきっかけになれば、これに勝る喜びはない。きみは、「お金」のために自分の時間を犠牲にしてはいないか？　次世代に何を遺したいと思っているのか？　本書と、そこで挙げた実例が、これまでより幸せで経済的に安定した生活をもたらす助けになるとしたら、たとえその数がどれほど少なくても、この本を書いた甲斐（かい）はじゅうぶんにある。

これから僕が話す出来事は、過度の浪費を続けていた僕たち一家が収入の半分を貯金するようになるまでの経過と、海辺の贅沢な暮らしから一転、1年かけて新しい（より生活費の安い）住処を探す旅路である。執筆に当たっては、実際の金額も含め、できるだけ率直に語ろうと努めた。成功だけでなく、失敗や悪戦苦闘した経験をありのままに記し、節目ごとに妻のテイラーの視点も加えた。ＦＩＲＥを目指す一家の軌跡をリアルに記録した本書が、この本を読むひとりひとりが望む自由を手に入れるきっかけとなることを願う。

第１章
「仕事をして、食べて、寝る」の繰り返し

CHAPTER 1 : WORK, EAT, SLEEP, REPEAT

２０１７年２月の月曜日の朝、僕はサンディエゴの高速道路を車で走っていた。比較的新しいとはいえ、これといった特徴のない車のハンドルを握り、スターバックスの水出しコーヒーを飲む30代半ばの男――誰も目に留めない、典型的な通勤中のアメリカ人である。

実際、その月曜日の朝には、これといって特別な点は何もなかった。それまで何百回となく繰り返されてきたいつもの月曜日の朝になるはずだったが……この日、僕はその後の人生をがらりと変えるアイデアを耳にした。そのアイデアがきっかけで、まもなく仕事を辞め、カリフォルニアをあとにして、家族と一緒に1年間、国内を転々とすることになる。成功、お金、自由に関する自分の知識を根底から覆し、ほんのひと握りの人間しか叶えられない憧れのアメリカン・ドリーム――やりたいことを自由にできる生活を手にするために。

僕が妻のテイラーに出会ったのは10年前のことだった。

そもそもの始まりから、テイラーも僕も、わくわくするような生き方、贅沢な暮らしをしたいと考えていた。年越しをラスベガスで過ごさないか？——いいわね。いまからスパリゾートに行きましょうよ——そうしよう！　高価な時計や有名デザイナーの服を買いこむわけではないが、〝タホ湖でボート遊び〟〝4つ星レストランのディナー〟〝スノーボードの買い替え〟〝ヨーロッパ旅行〟など、頭に浮かんだ思いつきは片っ端から実行に移した。上等なワインを味わい、高級レストランで食事を楽しむのが習慣になり、新しい店がオープンするたびに足を運ぶ日々。シェフと言葉を交わせれば、なおご機嫌。ときには週に3、4回外食をすることもあった。

そんな僕らのモットーは「銀行口座に残高があるかぎり、なんでもやろう」だった。せっせと働いて稼いだお金は、〝楽しむ〟ためにたちまち消えていくが、借金をしないかぎり全然気にならなかったし、間違ったことをしているとも思わなかった。たしかに、出費の多さと貯金の少なさにときどき不安を感じたが、「ふたりともまだ若い、金を貯める時間はこれからいくらでもある！」と自分に言い聞かせた。「たっぷりボーナスが出るか、そのうち大きな仕事が入るか、起業した会社が数百万ドルで売れるかもしれない。貯金なんか、いつでもできる！」と、〝棚ぼた〟的なメンタリティで行き当たりばったりの生活を正当化するのが習慣になっていた。

その頃、僕は世界でも有数のビール会社でイベント業務を担当していた。西海岸を飛びまわり、NBAやMLBのオールスター・ゲーム、サンダンス映画祭、音楽フェスティバルといったイベントを後援する毎日。新しい経験や出会いに目がないエネルギッシュな若者にとってはまさに夢のような仕事だった。しかし、そうやって1年もパーティやイベントに参加していると新鮮味が薄れ始め、この業界で長いことやっていけるかどうか疑問を持つようになった。もっとクリエイティブで意味のある仕事をしたい。出張ばかりでろくに眠る間もない不健康なライフスタイルをこの先ずっと続けるのは不可能だ。僕が求めているのは、マリンスポーツやトレッキングなどのアウトドア・アクティビティを満喫しつつ、人との繋(つな)がりを築く生活。家族と過ごす時間を犠牲にして初対面の連中とビールを飲むよりも、もっと楽しい人生があるはずだ！

▪　▪　▪

2010年に結婚し、西インド諸島のセントクリストファー・ネイビスでハネムーンを過ごしたあと、帰りのフライトの機内で、テイラーはしみじみとこう言った。

「毎日が休暇みたいに思える場所に住めないかしら？」

当時僕らが住んでいたのはネバダ州リノの街だったが、ふたりとも引っ越す気じゅうぶんだったから、10分後には、飲み物に添えられたナプキンの裏に〝パラダイス〟と書き、住みたい場所をリストアップしていた。アメリカ領ヴァージン諸島のセント・ジョン島、ハワイのカウアイ島、カリフォルニア州コロナド、アリゾナ州スコッツデール、フロリダ州キーウェスト。しばらくどこにするか迷ったあと２０１２年の初めに仕事を辞めてリノの家を引き払うと、僕らは毎日が休暇に思える生活を求めて、湾を挟んでサンディエゴの対岸にあるリゾート地、コロナドへと移った。週末を待ち望む暮らしではなく、毎日が週末に思える暮らしをするために。海辺に引っ越すと口癖のように言いながら実際は行動に移さない人々のようには決してなるまい、と自分たちに言い聞かせての決断だった。いま考えると、こういう型破りの行動はその後（これまた型破りの）ＦＩＲＥを目指す絶好の予行演習になった気がする。だが、この行き当たりばったりの考え方自体が問題の一部でもあった。

最初の数年間、コロナドでの暮らしは実際パラダイスのようだった。ベイエリアに近いワンベッドルームのアパートを借りた僕らは、毎日のように遊歩道を散歩し、ダウンタウンの美しいスカイラインに反射する夕陽に見惚（みと）れた。ビーチクルーザー（訳註：砂浜などを走るために作られた自転車）を2台買い、海辺にも、街なかの移動や、仕事のあと友人たちと一杯やるときも、それを漕いでいった。気苦労とは無縁の、ゆったりとアウトドアを満喫するライフスタイル――誰もが夢見る生活に思えた。

屋外で過ごすことが多くなるにつれ、カヤック、スタンドアップパドルボード、サーフボードと、アウトドア用品も増えていった。当然、それらを運ぶ車が必要になる。そこで、シボレー・エクイノックスSUVとトヨタ・プリウスを購入した。もちろん、サンルーフとルーフラック付き――なんといっても、ここはカリフォルニアだ!

急速に発展していくサンディエゴには、仕事はいくらでもある。実家の人材紹介会社で働き始めたテイラーは、着々と自分のネットワークを広げ、市場を開拓していった。僕はビデオ制作会社の共同経営者となったあと、吸収合併に応じて、それまでより大きいオフィスに移ったが、そのマーケティング・エージェンシーと理念や方針が合わず、もとの共同経営者たちと再出発を切ることにした。そうなると収入は激減するが、昔から給与額よりも自由を優先してきたし、新たなビジネスを成功させる自信もあったから、正しい決断だと感じた。大丈夫、これまで磨いてきたスキルを活かせばいいだけだ……。

それから、テイラーと僕は子どもを作ることにした。

２０１５年10月、娘が誕生した。 さんさんと照る太陽に雲ひとつない青空、穏やかな海風が頬をなぶる完璧なカリフォルニアの一日だった。僕らと同じように喜びを追いかける人生を送ってほしいという願いをこめ、楽しい（ジョヴィアル）という言葉にちなんでジョヴィーと名付けた。

初めて親になるほとんどの夫婦と同じように、僕らはまもなく生まれるジョヴィーのためにあれこれ準備を始めた。その頃は自宅で仕事をしていたテイラーが自分のオフィスを欲しがったし、ジョヴィーが生まれたら訪ねてくるにちがいない家族や親戚のために客用の寝室も必要だ。そこで、まずワンベッドルームのアパートから、寝室が３室ある小さな戸建てに移ることにした。何週間も探したあと、コロナドでは破格とも言える月２８５０ドルの貸家を見つけ、８０００ドルかけて家具を一式購入し、子ども部屋にはベビーベッドなど赤ん坊に必要なものをすべて揃（そろ）えた。生まれてくる赤ん坊のためなら、いくらかかっても惜しくない。

この頃僕らは６０００ドル払ってボートクラブの会員となり、２０１６年式のマツダ３ハッチバックと２０１５年式のＢＭＷ ３シリーズ グランツーリスモ（ＧＴ）をリース契約したばかりだった。

ジョヴィーが生まれる前も、膨れあがる出費を見かねて支出を減らそうと話し合ったことは何度かある。だが、実際に倹約する段になると結局、欲しいものをあきらめることができず、あれこれ理由をつけてはバイタミックスの万能ブレンダーを買い、休暇でニュージーランドに出かけ、まもなく生まれる赤ん坊のためにイタリア製の高級ベビーカーを買ってしまう。そして、「払える範囲だ、収入は徐々に増えていくはずだから、そうしたら貯金を始めればいい」と楽観していた。

なんといっても、テイラーは高給取りで、僕の新会社もすでに利益を上げている。401kの積み立て（たいていは収入の一割）も始めていた。その積み立てを別にすれば、ふたりとも投資はしていなかった。投資には疎かったし、株はリスクが高すぎる。忙しくてじっくり研究する時間がない、というのをいつも都合のいい言い訳にしていた。それに、ふたりとも高収入を得られる仕事につき、将来に備えて401kも組み、消費者金融には手を出していない――万事順調ではないか？

ジョヴィーが生まれると、テイラーも多くの親と同じように、1日8時間も赤ん坊と離れることを考えただけで耐えられないと感じた。もちろん仕事は好きだし、専業主婦になろうと思ったことは一度もないが……我が家の財政状況を考えると、共働き以外の選択肢はなかった。まもなくテイラーはフルタイムで仕事に復帰し、僕らは月2500ドルで日中ジョヴィーの世話をするナニー（訳註：パートタイムで面倒をみるベビーシッターとは違い、専門のトレーニングを受けたフルタイムの「保育のプロ」。子どもの送迎や料理、家事など様々な仕事をこなす）を雇った。テイラーが働かざるをえない状況は僕らのどちらも望んでいなかったが、僕ひとりの収入では、とうていいまのライフスタイルを維持できない。

　赤ん坊の成長の多くを見逃していると日に日に落ち込む妻を見ているのはつらかった。僕のせいだと感じるから、なおさらだ。子どもを作ろうと決める前に、なぜ積極的に倹約し、貯金にまわさなかったのか？　新しく会社を立ち上げなければ、収入も安定し、たびたび出張で家を空(あ)けることもなく、長時間働かずにすんだのに。テイラーはすべて承知で僕の決断に賛成してくれたが、いまはそれを後悔しているのではないだろうか。僕が起業の夢を叶えたせいで自分の幸せが取りあげられた、僕の野心のせいで赤ん坊と過ごす時間をあきらめなくてはならない、と？　そうした疑問に悶々(もんもん)とする一方で、自分が稼ぎ手になったとしても、今度は僕自身、ジョヴィーと過ごす時間がほとんどなくなる、と悩んでもいた。そもそも正しい答えなどあるのだろうか？　子どもを持つのは、なぜこんなに大変なんだ？

　そんなとき、共同経営者のひとりが辞め、経営が揺らぎ始めた。そもそも僕らが制作会社を始めたのは4年前。当時は20代とあってとにかく楽天的で、エネルギーに満ちあふれていた。会社の経営は順調で、結婚式のビデオ制作を手掛ける小規模な事業から、年商数百万ドルの引く手あまたなコマーシャル・ビデオ制作会社へと成長していた。もちろん、そのために身を粉にして働いた。最初のうちは長時間労働の犠牲もまだ我慢できたが、いまの僕らの状況は4年前とはまるで違う。子どもができ、様々なローンの支払いを抱え、育児にかかるコストもばかにならない。共同経営者とあって、長期休暇をとるのも難しい。いっそ雇用者となり会社の負担で４０１ｋや健康保険に加入したほうがましだ。子どもができたいま、浮き沈みの激しい行き当たりばったりのライフスタイルではなく、経済的な安定が必要だった。そういうわけで、その共同経営者が辞めたとき、残った僕らも次のステージに進むべきだと意見を一致させた。

　それから1カ月も経たないうちに、僕らは会社をたたんだ。僕はメディア制作会社を設立して自分の興味を持てる作品を作りたいと考えたが、我が家にそんなゆとりはない。すでに言ったように、テイラーと僕がフルタイムで働かなくては、我が家の家計は立ちいかないのだ。そこで、グリズリーというまだ出来立ての前途有望なエージェンシーでクリエイティブ・ディレクターとして働くことにした。才能ある仲間に囲まれ、ブランド・デザインや事業戦略、開発について知識を深めるチャンスだと興奮したが、安定した収入をもたらす素晴らしい仕事についたあとも、贅沢なライフスタイルは相変わらず。収支を合わせるのがやっとで、先の備えまで手が回らない。このままでは、給料をもらって働く生活から永遠に抜けだせず、二度と起業できないことになる。

　サラリーマンになったのと同じ頃、まだだいぶ先だと思っていた出費が一気に現実のものとなった。家の購入もそのひとつだ。コロナドで僕らが借りているような倹しい３ＬＤＫの戸建てでも、購入すれば100万ドル以上、コロナドにこだわらなくても、サンディエゴの家の価格は60万ドルから75万ドルはくだらない。それに、子どもの大学資金は？ 親が貯めてやるべきじゃないか？ ところが、僕らには退職後の備えに積み立てている401k以外に貯えはまったくない。かつて自由気ままに思えた選択が、愚かで無鉄砲に感じられた。

この問題を解決するには――〝100万ドルのアイデア〟をひねり出すしかない。僕が再び起業し、テイラーが仕事を辞めるか働く時間を減らせるように予備の貯えを作り、コロナドに住み続け、リース中の2台の車の残価も精算して、家を購入し、将来を見据えた貯蓄を始められる、そんな名案はないものか？

毎晩ジョヴィーを抱いて何時間も近所を歩きまわりながら（そうしないと眠ってくれないし、眠っても途中で起きて泣き出してしまう）、スタートアップや起業に関するポッドキャストに耳を傾け、金儲（もう）けのアイデアをひねりだそうとした。「やはりメディア制作会社を立ちあげようか？」、「いま流行（はや）りのＦＢＡ（訳註：フルフィルメント・バイ・アマゾン。出品者がアマゾンに商品を送付し、アマゾンが出品者に代わって受注と配送を行うサービス）ビジネスもいいかもしれない」。仮想通貨や不動産転がしに関する資料にも目を通し、何か月もこれはと思うアイデアを探し続けた。たった一度、思いがけない幸運に恵まれさえすれば、その資産を売却し、ストレスとは無縁の理想の生活を送ることができる。

2017年2月13日の月曜日、僕はいつものように目を覚まし、テイラーとジョヴィーに見送られて職場に向かった。高速道路のはるか先まで連なる車の列に加わり、お気に入りのポッドキャスト、〈ティム・フェリス・ショー〉をつける。〝倹約の教祖〟フェリスが招くゲストは、興味深い人物が多い。彼は資金提供や経営アドバイスなどで起業家を支援するエンジェル投資家（訳註：スタートアップに対し資金を提供する富裕な個人）でもあり、『「週4時間」だけ働く』［青志社 刊］の著者としても有名で、『Tool of Titans（タイタンのツール）』を最近出版していた。フェリスのポッドキャストの概要欄には、「投資、スポーツ、ビジネス、アートなど多岐にわたる分野から、世界でも第一級の偉業を成し遂げた人々を選び、彼らの戦術、ツール、習慣を学ぶ」とあり、過去のゲストには、アーノルド・シュワルツェネッガー、セス・ゴーディン（マーケティングの専門家）、アマンダ・パーマー（インディーロック・ミュージシャンにしてブロガー。上手なお願いの仕方を綴った『お願いの女王』［早川書房 刊］の著者）、ジェイミー・フォックス（コメディアン、シンガーソングライターなど多彩な顔を持つ俳優）、トニー・ロビンズ（自己啓発書作家）など錚々たる顔ぶれが並んでいる。

僕は〝Mr.マネーマスタッシュ――年間2万5000ドルから2万7000ドルで優雅に生きる方法〟という変わったタイトルのエピソードに興味を引かれた。Mr.マネーマスタッシュの本名はピート・アデニー。カナダ生まれで、コロラド州ボルダー近郊に住み、エンジニアとして平均的な収入を得ていたが、30歳で退職し、2005年以降、いわゆる〝職〟にはついていない。ポッドキャストの紹介で、ティムはこう語っている。「一体全体（アデニー一家は）どうやってFIREを達成したのか？　早期リタイアに漕ぎつけるため、一家が実践したことがいくつかある。最小限の支出で最大限楽しむ暮らし方に切り替え、インデックスファンドと不動産に投資した。年間支出はわずか2万5000ドルから2万7000ドルだが、足りないと感じたことはないそうだ」僕は素早く暗算した。僕らはアデニーの年間支出をわずか3カ月で使ってるぞ！　なんてことだ。ティムいわく、Mr.マネーマスタッシュを支持するコミュニティとその人生哲学は「世界的なカルト現象」となり、2011年の開設以来、彼のブログ〈Mr. Money Mustache〉の閲覧数はなんと3億にも及ぶという。ティムが「このポッドキャストのゲストに呼んでほしい人リストのトップ5に入る人物」と紹介するのを聞いて、僕はピート・アデニーという男に興味を掻き立てられた。

ピート・アデニーが早期リタイア実現のためにやったのは――エンジニアとしてじゅうぶんな収入を得るようになってからも大学時代と同じように暮らし続けたことだけだった。そうやって、年間支出の25倍から28倍の金額を貯め、それを、僕も何度も勧められることになるバンガード・グループ（訳註：ペンシルベニア州に本社を置く世界最大規模の資産運用会社。世界初のインデックス型投資信託を個人投資家に提供したことでも知られている）のインデックスファンドに投資した。そして、運用による収益で家計の支出を賄えるようになったあと、息子が生まれたのをきっかけに30歳で妻ともども仕事を辞めた。自分が使った基本式はほとんどの人にあてはまる、とアデニーは断言した。これが事実なら、年間支出の25倍貯めるだけで、僕とテイラーも早期退職ができる。当時、僕らはひと月に1万ドル、年間12万ドル使っていた。とすると、貯めるのは３００万ドル。それだけでいいのか？　友人からかテレビで聞いたか忘れたが、退職するには１０００万の貯金が必要だと思っていたのに！　アデニーの計算式にどういう根拠があるのかさっぱりわからないながらも、彼がそれを自信たっぷりに説明するのを聞いて、僕はもっと知りたくなった。

アデニーは、移動の90パーセントを自転車か徒歩で済ませ、借金やローンなしで暮らしているという。何かを買うのは、それがなければ生活に大きな支障をきたすときだけ。ホームセンターから材木を運ぶときには、古い型式の自家用車を使う。ちまちま倹約などせず、割引食品を買うこともなく、むしろクラフトビールやオーガニックのチョコレートといった良質のものを選ぶ。「最大限の幸せを得るのに必要な家計費の上限を決め、どんなものでも満足を得られなくなった瞬間、買うのをやめる」アデニーはそう言った。

すっかり夢中になった僕は、高速道路を下りて車を木陰に停め、「赤ん坊の用事で少々遅れる」と同僚にメールを打つと、ポッドキャストの音量を上げた。一家のライフスタイルを時系列で掲載しているアデニーのブログは、大勢の〝マスタッシュアン〟なるフォロワーを獲得していた。このとき初めてＦＩＲＥを知った僕は、早期リタイア・経済的独立という概念はアデニーの発案だと思ったが、その後、ＦＩＲＥコミュニティにはアデニー以外にも何十という著名人がいること、ＦＩＲＥの〝教義〟は何十年も前から存在していることを知った。

途中でティム・フェリスが、「こうしたライフスタイルこそ、現代の大量消費社会には理想的な対処法ではないか」と言うのを聞いて、家具と電化製品と赤ん坊用品があふれかえる３ＬＤＫの我が家が頭に浮かんだ。冗談で自分たちを「アマゾン中毒」と呼ぶくらい、我が家には数日おきに茶色い段ボール箱が届く。僕らはどこで道を間違えたんだ？　人生を楽しみ、海や山に出かけるだけで満足していたカップルはどこへ行ってしまったのか？

ピート・アデニーの生き方こそ、理想的な大人の生活に思えた。毎週月曜日、嫌々会社に出かけるのではなく、山歩きや子連れのキャンプを楽しめたら、どんなにいいだろう？　ガレージで友人とビールを醸造し、ときには何日もクリエイティブなプロジェクトに没頭して過ごす生活、仕事用の携帯電話や蛍光灯の下での事務仕事、四半期ごとの報告会議や有給休暇とは無縁の生活を送れたらどんなにいいか。

FIREがその答えだろうか？　好きなだけ子どもと一緒にいられる生活を実現し、使うために働くのではなく本当にやりたいことをしていた暮らしを取り戻す答えなのか？　FIREを実践すれば、昔の僕らに戻れるだろうか？　わくわくすることにチャレンジし、リラックスして人生を楽しみ、将来に多くの望みを抱いていたふたりに？

そう思ったとき、僕のなかで何かが変わった。もしかすると、経済的な不安を解決するために、〝次なる大ブーム〟に乗る必要はないかもしれない。出費を減らし、よりシンプルに生きる――これだけで、自由を取り戻せるとしたら？　僕は、久しぶりに興奮していた。胸に希望の光が灯(とも)り、気力が湧いてくる。ついに〝100万ドルのアイデア〟を見つけたのだ。

4パーセントルール

FIREの公式によると、年間支出の25倍貯まればリタイアの準備が整う。どういうことかというと――

仮にきみが年に5万ドル使うなら、リタイアするには125万ドル貯めればいい。投資額にはほぼ間違いなく1年で5パーセント（この見積もりはかなり控えめで、ほとんどの場合、年間運用率はもっと高い）の投資収益率が見込まれるから、年間6万2５００ドルの収益を得られる。つまり、年間支出の5万ドルより多くなるわけだ！　念のために年間支出に回すのは元金の5パーセントでなく４パーセント（5万ドル）にすれば、突然のインフレや株の暴落があっても心配ない。退職者が元本を割らずに毎年引き出せる金額を決定するのに使われるこの〝安全な引き出し率〟もしくは〝４パーセントルール〟は、米国トリニティ大学の金融理論に基づいている。

ここで、おさらいしてみよう。年間支出の25倍の金額を貯めて投資し、インフレ調整後の利回りを見込んで平均5パーセントの収益を受け取る。一方、年間支出として使うのは毎年元金の４パーセントだけ。したがって、永遠に支出を賄える。

まだよくわからない、って？　心配はいらない。このあと、もっと詳しく説明しよう。

第2章
１００万ドルのアイデア

CHAPTER 2 : THE MILLION-DOLLAR IDEA

その2月の月曜日を迎えるまでの僕は、仕事に追われる毎日にすっかり嫌気がさしていた。

頻繁に出張に出かけ、撮影現場に急行し、重い機材を運び、撮影を終わらせるのに1日12時間働くこともしょっちゅう。若ければ苦にならないかもしれないが、僕はしだいに歳を感じ始めていた。もちろん同僚は家族同然のかけがえのない仲間だったし、常に自分の能力を試されることで実力がつき、ビデオ制作に関する腕前に自信を持てるようになったのはありがたいと思っている。それでも、求められる作品の質が徐々に上がるにつれて責任が増し、顧客の開拓や数字の計算、データの解析処理や書類の整理に取られる時間は長くなり、常にストレスにさらされるようになっていった。ビデオ制作会社の経営にしろクリエイティブ・エージェンシーの勤め人にしろ、立場が上がるにつれてプレッシャーが増す点は変わらない。

コロラドに住む40歳の男（ピート・アデニー）が、月曜日だというのにハイキングを楽しみ、自宅のポーチでのんびり本を読んでいると知ってからは、自分の仕事の嫌な部分がいっそう耐えがたく思えた。1週間も続く会議に出席するときには、幼い娘と離れ、ホテルの慣れないベッドで眠れぬ夜を過ごさねばならない。窓の外にはカリフォルニアの太陽が輝いているのに、机にかじりついて制作ビデオの提案を作成しなければならない毎時間が拷問だった。

僕が一番楽しみにしているのは、ジョヴィーを寝かしつけるための夜の散歩だった。それからジョヴィーとテイラーが眠るのを待って、Mr.マネーマスタッシュを筆頭に、ＦＩＲＥに関するブログや記事を何時間も読みあさった。〝早期リタイア〟と〝経済的独立〟をグーグルで検索すると、驚いたことに何千という人々がそれを実践中だとわかった。

子どもが３人もいるのに30代で引退した夫婦。キャンピングカーで国中を周りたくて、ＩＴ業界で稼いだ給料の70パーセントを貯金して35歳で引退した男性。自宅と４台の車を売却し、プレハブ住宅で暮らし始めた夫婦。子どもができる前に世界旅行を実現しようと、不動産投資をして29歳で退職した若い夫婦もいる。子どもが産まれても一家は旅を続け、その赤ん坊は生後５カ月にして、なんと僕よりもたくさんの国々を訪れていた！　それから僕は、自分たちがそういう人生を送っているところを思い浮かべてみた。ピラミッドの前に立つジョヴィー、カリブ海で泳ぐジョヴィー、万里の長城を歩くジョヴィーを。週末だけを楽しみに日々仕事に追われるいまの暮らしとは、天と地ほども違う人生だ。

Mr.マネーマスタッシュことピート・アデニーは、ＦＩＲＥムーブメントの〝ガイド〟のひとりにすぎなかった。経済的独立に至る道のりを語るブロガーは、たくさんいる。職や地位を失わないために匿名を貫く者もいるが、すでに〝退職〟した人々、独立を果たしたあとも仕事を続けると決めた人々、あと数週間、できれば数日で仕事を辞めるつもりの人々もいる。彼らのブログの多くは（51ページにその一部を掲載した。追加情報はplayingwithfire.comを参照のこと）現在進行形である。ブログ〈Early Retirement Extreme〉の著者ジェイコブ・ルンド・フィスカーは、物理学者として働き33歳で経済的独立を果たした。現在は10年以上手持ちの服で間に合わせながら、キャンピングカーに住んで年間支出を7000ドルに抑え、サンフランシスコのベイエリアの暮らしを楽しんでいる。マサチューセッツ州ケンブリッジに住んでいた〈Frugalwoods〉の著者リズとネイト・テムズ夫妻は贅沢（ぜいたく）な暮らしをやめ、バーモント州に地所付きの家を購入し、自給自足しながら、〝服を買わない生活〟を1年間実行した。アトランタ出身の夫婦、〈Rich & Regular〉の著者ジュリアンとカースティン・サンダースは、多額の消費者債務に苦しんでいたが、いまでは住宅ローンも完済した。〈Mad Fientist〉の著者でソフトウェア・エンジニアとして働いていたブランドン・ガンチは34歳で退職し、現在スコットランドに住んでいる。都市部の顧客を相手に高単価収益を得ながら、郊外／地方に住み、コストを下げて利益を最大化するライフスタイル、ジオアービトラージを実践する〈Go Curry Cracker!〉の著者ジェレミー・ジェイコブセンとウィニー・ツェンは、低コストで暮らせる国々を渡り歩いている。いまでは、子どものいる夫婦、軍人一家、大都市の住人、世界を旅す

ＦＩＲＥムーブメントの人気ブログ

Mr. Money Mustache：
　mrmoneymustache.com
Mad Fientist：
　madfientist.com
Frugalwoods：
　frugalwoods.com
Physician on Fire：
　physicianonfire.com
Early Retirement Extreme：
　earlyretirementextreme.com
The Simple Path to Wealth：
　jlcollinsnh.com
Millennial Revolution：
　millennial-revolution.com
ChooseFI：
　choosefi.com
Afford Anything：
　affordanything.com

このリストは2018年度の「アレクサ」ランキング（訳註：世界中にある約３０００万のウェブサイトの過去90日間にわたる1日当たりのユニーク訪問数とページビュー数の予想平均を利用して割り出されたランキング）に基づいている。

る人々、慈善事業家など、様々なＦＩＲＥライフスタイルに適うアドバイスをするブロガーが見つかる。僕はこの当時、いかに多くの人々がＦＩＲＥを知っているかに、そして自分がまったくそれを知らなかったことに驚愕した。

その2年ほど前、僕は自分のポッドキャストを始めようと張りきっていたが、時間がとれず、あきらめざるをえなかった。ＦＩＲＥに成功すれば、念願のポッドキャスターになれるかもしれない。海洋ゴミ回収プロジェクト「The Ocean Cleanup」や効果的利他主義（訳註：確かな証拠と論理に基づき世界の向上を目指すという考え方）運動のような、日ごろから賛同している慈善活動をサポートする時間もできるだろう。テイラーも、高齢者センターのボランティアやシングルマザーを支援する非営利事業の立ち上げなど、やりたいことの一部を実行に移せる。僕だって、もっと頻繁に妻や娘とランチができるし、次々に用事に追われる日々ともおさらばできる。冬はカリブ海で、夏はタホ湖で過ごす暮らしも夢じゃない。ジョヴィーが子どものうちに、サーフィンを教え、ベリーズ沿岸の珊瑚礁を見せ、パシフィック・クレスト・トレイル（訳註：西海岸を南北に縦走する長距離自然歩道）を歩くことだってできる。ジョヴィーのサッカー・チームのコーチをするとか、一緒にピアノを習うのもいい……。

「どうしてそんなにうわの空なの？」テイラーにそう訊かれ、僕はとっさに厄介なプロジェクトを抱えていると言い訳して、ラップトップを手に妻のそばを離れた。いずれはきちんと話さなくてはならないが、いきなり切りだして驚かせるのはまずい。いつもの〝壮大かつ非現実的な計画〟のひとつだと思われるのもいやだった。ＦＩＲＥは、僕が（ほぼ毎週）思いつく新事業立ち上げの話とか、時間やお金をリスクにさらす儲け話とは違う。すでにある収入をもっと賢く使うことだ。わずか数日のあいだに、僕はＦＩＲＥこそが〝１００万ドルのアイデア〟で、僕らが望む人生――アウトドアを楽しみ、夫婦で過ごす時間を増やし、ジョヴィーと一緒に山ほど楽しいことができる人生――を手にする最良のチャンスだと確信していた。

夫婦のうち、昔から倹約家なのは僕のほうだった。記憶に残るような大げんかのほとんどは金銭が関わる言い争いだ。付き合った初めの頃はとくにそれが顕著で、ふたりの金銭感覚の違いを身に染みて感じたものだ。僕は海軍基地で幼少時代を過ごしたあと、倹約を美徳とみなす中西部の町で育った。地元では、貯金をしていると〝賢いぞ、さすが中西部っ子だ〟と褒められる。ホテルをセール価格で予約できたり、在庫一掃大安売りでコンピューターを激安で手に入れたりしたときは、大いに自慢したものだ！　一方、預金額や〝お得な買い物〟を自慢するのは下品だと言われて育ったテイラーは、僕がそういう自慢話をするたびに、安売り商品を買うなんて正価で買えないみたいじゃない、と顔をしかめた。そして反対に高い買い物や贅沢をしたときは得意そうに自慢し、僕を苛々させた。僕が育った家庭では、人前で自分の富を見せびらかすのは〝人を見下す品のない行為〟だが、テイラーにとって高価な買い物は一生懸命働いたしるし、ちっとも恥じるべきことではないのだ。

しばらくすると僕らは、金銭の話を避けるようになった。僕はどれだけ安く買ったかを自慢するのをやめ、テイラーはいくら払ったかを口にしなくなった。不用意にFIREの話を持ちだせば、自分の経済観念を批判されている、僕が贅沢をやめさせようとしていると、テイラーに勘違いされるかもしれない。それに、僕より収入の多い妻に向かって、お金の使い道を指図するのはお門違いだ。

だが、テイラーがジョヴィーと家で一緒に過ごすためには、「お金」に対する姿勢を変える必要がある。FIREが家族と一緒に過ごす時間を増やすために支出を減らすライフスタイルだとわかれば、妻はきっと賛成してくれるにちがいない。そこで僕は、説得に手間取りそうな話題を配偶者に持ち出すさいの常套(じょうとう)手段に訴えた――メールを送ったのだ。件名に〝読んでみてくれ〟と書いて、Mr.マネーマスタッシュことピート・アデニーがFIRE計算式を説明するブログ記事へのリンクを貼りつけた。このブログ記事は、無数の書き込みのなかでもとくに気に入っていた。必ず、テイラーの注意を引くにちがいない。

その夜ふたりで料理をしながら、僕はブログの話が出るのをいまかいまかと待っていた。突拍子もないアイデアだと思っただろうか？　それとも面白いと思ってくれたか？　仕入れた情報を全部テイラーに話し、我が家の支出をどうすれば切り詰められるかを説明したくてたまらなかったが……いくら待ってもテイラーはメールの話をしようとしない。料理中も、食事中も、後片付けをしているときも。とうとう就寝時間になり、しびれを切らして僕のほうから切りだした。

「ああ、あれね。全部読まなかったけど、面白そうね」テイラーはあっさりそう言うと、ジョヴィーの新しい遊び友だちの話を始めた。どうやらＦＩＲＥ熱には取りつかれなかったらしい。地道に働きかけるしかなさそうだ。

■　■　■

僕がＦＩＲＥの話をしたのは、テイラーだけではなかった。ポッドキャストでMr.マネーマスタッシュの体験談を聞いた1週間後、この新たな発見を親しい友人であるジョーに打ち明けた。彼は元同僚で、僕が日頃から頼りにしている人物でもある。収支の管理がしっかりとできているジョーは、これまでも、僕が次々に思いつく起業のアイデアを一緒に吟味し、よき相談相手になってくれていた。新しいアイデアに興奮する僕をなだめるのが上手な彼なら、ＦＩＲＥを妻に売りこむ前の練習台にちょうどいい。

ジョーが電話に出ると、僕は前置きなしで、まくし立てた。

「幸せになる秘訣（ひけつ）を見つけたよ。出費を切り詰めて残った分を貯金すればいいんだ。そして配当金で生活して、世界中を旅して周り、アウトドアライフを楽しむ。Mr.マネーマスタッシュから教わったのさ――変な名前だけど、ほんとにそう呼ばれてるんだ――すごいぞ、ジョー。彼のブログを読んでみろよ。とにかくびっくりするから」

「そのブログは知っているよ」

ジョーの返事に、僕は言葉を失った。ジョーは、幸せになる秘訣をすでに知っていたのか⁉

なんと、ジョーはMr.マネーマスタッシュのブログを何年も読んでいるという。

「どうして教えてくれなかったんだ?」僕は思わずそう言っていた。「幸せになる秘訣を何年も知っていたのに、黙ってるなんてひどいじゃないか」

「どうしてって言われても……おれたちはそういう話をしないだろ」

たしかにそのとおり。ジョーとは、起業のアイデアや政治、体調に関しては話すが、（たいていの人々同様）金銭や暮らし方に関する話をしたことはなかった。

そう言えば、知り合って4年になるが、ジョーはよく自転車で通勤している。自家用車は中古のホンダ・フィット。奥さんのエンジェルと住んでいるのは快適なエリアとはいえ、僕らよりはるかに不動産物件の安い地域だ。それに会うときはたいてい、バーやレストランではなく、どちらかの家にしようと提案してくる。こんなに身近な親しい友人がＦＩＲＥのライフスタイルを実践していたのに、僕はちっとも気づかなかったのだ！

ジョーと話したあと、真剣にＦＩＲＥに取り組むべきだという確信はいっそう強まった。僕ら夫婦は、ジョーとエンジェルの気負いのないライフスタイルに憧れていた。忙しすぎて楽しむゆとりがない僕らとは対照的に、ふたりは飾らない生き方を楽しんでいる。それに周りの誰よりも幸せで、自分たちの暮らしに満足していた。

だが、ＦＩＲＥの話をどう切り出せば、テイラーと言い争わずにすむのか？　これまで僕は、頭ごなしに文句を言うことが多かった。たとえば、その時々の買い物にこだわったり（「なんだって１４００ドルもするパドルボードを買ったんだ⁉」）、知り合いに高価な出産祝いを送ったことに腹を立てたり。テイラーはそのたびに、僕も同罪だともっともな反論をした。結局のところ、パドルボードを買いたいと言いだしたのは僕のほうだし、出産祝いにも「いいね」と同意したではないか、と。そのあとは、いつものようにどちらの無駄遣いが多いか、誰のせいで予算をオーバーしたのかという非難の応酬になる。支出が予算内に収まる月が何か月か続くこともあったが、それから休暇の時期が来て出費がかさむ。さもなければ、どちらも忙しすぎて料理をする時間がないとか、誰かの結婚式に飛行機で行くはめになり、倹約の計画はいつのまにか消えてしまうのだった。

だから、今回は口うるさく言うことは避けたかった。責められていると感じてテイラーが機嫌を損ねては元も子もない。それに、テイラーには僕と同じ視点からFIREを見てほしかった。必死になって働かなくてすむ、ストレスの少ない、好きなことを好きなときにできる待望の暮らしを実現する手段として、FIREを検討してほしい。選択できる自由、経済的な心配をしなくてすむ自由、自分らしくいられる自由。そういう完全な自由を望まない人間などどこにもいない。考えた末、僕はFIREに関する記事やポッドキャスト・インタビューのリンクを妻に送り続け、もうしばらく様子を見ることにした。

僕は〈Mad Fientist〉と〈ChooseFI〉のポッドキャストや、〈Frugalwoods〉の記事、Mr.マネーマスタッシュの投稿を貼りつけたメールを、翌週いっぱい送り続けた。テイラーは時々その話をしたが、ほとんどの場合、忙しすぎて記事を読む時間もポッドキャストを聞く時間もないようだった。せっせと送っている資料がテイラーの頭に染み込んでいる様子がまったくないのを見て、僕は焦りを感じた。この調子では、テイラーを説得する前に退職する年齢になってしまう。

第3章
幸せを感じる瞬間
ベスト10

CHAPTER 3 : TEN THINGS THAT MAKE YOU HAPPY

ＦＩＲＥをテイラーに切り出す方法を考えあぐねているときには、同じジレンマを抱えている夫婦がほかにも大勢いるとは思いもしなかった。それ以来、ＦＩＲＥが秘めている素晴らしい可能性を配偶者に納得させるさいの苦労話を何十となく耳にした（なかには失敗したケースもある）。たとえば、ブログ〈Mad Fientist〉のブランドンのケース。結婚してまもなく、ＦＩＲＥを目指すブランドンの倹約ぶりがあまりにも極端なため、妻のジルは一切関わりたくないと反発したという。それから何年も経ったいまはふたりともＦＩＲＥ信奉者だが、配偶者の反対は経済的独立への道に立ちはだかる大きな障害となりかねない。相手の気持ちを尊重しつつ、慎重に説得を進めるべきだ。

まして僕らの場合、テイラーの協力がなければＦＩＲＥを目指すことはできない。テイラーは我が家の収入の半分以上を稼いでいるだけでなく、娘の母親であり、僕の妻だ。生活費を切り詰め、ライフスタイルをがらりと変えることにテイラーが同意しなければ、僕の独り善がりで終わってしまう。

ある日、僕はふとこう思った。テイラーはもともとリラックスした楽しい人生を求めていた。だからFIREで、あきらめねばならない贅沢（新車やレストランのディナー）よりも、得られるもの（働く時間と経済的なストレスが減り、ジョヴィーと一緒に過ごす時間が増える楽しい生活）を強調してはどうか。

そこである晩、一緒に夕食の後片付けをしながら、僕はこう言った。「1週間のうちどんなときに幸せを感じるか、10個書き出してみないか?」と。そして、「どうして?」という問いに、「このあいだから僕が送ってるFIRE関連のエクササイズなんだ。ふたりのリストを比べてみるのも面白いだろう?」と答えた。テイラーが同意し、僕はジョヴィーをお風呂に入れて寝かしつけるためにキッチンを出て――とたんに不安になった。もしもテイラーのリストに、「BMW（テイラーの車）でドライブしているとき」や「高級レストランで食事しているとき」などが含まれていたら?　海辺の暮らしに断固としてこだわったら?　贅沢をあきらめようと提案する前に、大好きな贅沢を再確認させるようなことにならないだろうか?

娘を寝かしつけて寝室に入っていくと、テイラーはリストを読みあげてほしいかと訊いてきた。

＊テイラーのリスト

①　娘の笑い声を聞いているとき
②　夫とコーヒーを飲んでいるとき
③　娘をあやしているとき
④　散歩をしているとき
⑤　自転車で走っているとき
⑥　ワインを味わって飲むとき
⑦　美味しいチョコレートを食べているとき
⑧　両親や弟妹と話しているとき
⑨　家族揃（そろ）って食事しているとき
⑩　娘に読み聞かせをしているとき

リストを読みあげていくテイラーの声を聞きながら、僕は彼女と恋に落ちたそもそもの理由を思いだした。ふたりとも家族と、家族と過ごす時間を何よりも大切に思っているのだ。どこでどう間違えたのか、人生を楽しむには散財しなくてはならないと思いこんでしまったが、テイラーのリストからすると、僕らがまだ同じ価値観を持っていることは明らかだ。それに気づいて、僕は心からほっとした。妻のリストにある〝幸せ〟は、倹約生活をしていてもひとつ残らず実現できる。

僕らのリストの内容は不思議なくらいよく似ていた。

＊スコットのリスト

① ジョヴィーが眠るまで本を読んであげるとき
② 音楽を聴いているとき
③ 一杯やっているとき
④ テイラーとコーヒーを飲んでいるとき
⑤ 屋外で過ごしているとき（自転車に乗る、ハイキングするなど）
⑥ 家族の夕食を作っているとき
⑦ 読書をしているとき
⑧ 友人と過ごしているとき
⑨ スポーツを楽しんでいるとき
⑩ 釣りをしているとき

「書いていて気づいたんだが、僕のやりたいことはシンプルでお金がかからないことばかりだ」と僕は言い、テイラーに尋ねた。「きみは自分のリストを見てどう思った？」

「ビーチが入ってないわね……」その口調から、妻の頭にも、僕が思ったのと同じ疑問が浮かんだことがわかった。〝だったら、どうして僕らは家賃の高い海辺の街に住んでいるんだ？〟。

「きみのリストでも、お金で買うものはワインとチョコレートだけだ」

テイラーは自分が最近買ったものを挙げ、それからこう言った。

「買うときは、長時間働いているご褒美だと思ったけど、よく考えてみると、買ったからといってとくに幸せを感じたわけでもないし、このリストにはひとつも入ってないわね」

どうやら僕がメールで送り続けた記事やポッドキャストが、ようやく潜在意識に染み込み始めたようだ。

幸せを感じる瞬間を10個挙げるエクササイズは、僕らがＦＩＲＥを志すさいの重要な決め手となった。僕らはいまでもこのリストを手元に置き、頻繁に見るようにしている。この方法はぜひともお勧めしたい（66ページの「〈幸せを感じる瞬間ベスト10〉エクササイズ」を参照）。

リストを作り、我が家の出費が自分たちの価値観を反映していないという現実と向き合ったあとは、かなりオープンに「お金の話」ができるようになった。まもなく僕は、ＦＩＲＥの基本となる〝出費を大幅に切り詰める〟話を思いきって切り出した。

「このあいだからメールで送ってる経済的独立の記事だけど……僕らも試してみないか？」それから、２月の月曜日に初めて聞いたMr.マネーマスタッシュのポッドキャスト・インタビューと、ジョーと交わしたやりとり、それ以来じっくりリサーチしたことを話した。すっかりＦＩＲＥに惚れこんでいることも打ち明け、できれば実践したい、と付け加えた。

テイラーはびっくりして、なぜもっと早く話してくれなかったの、と尋ねてきた。僕ら夫婦は、ふだんから思いついたことや考えていることをほとんど全部話し合う。僕がこういう大事な話を黙っているのは珍しかった。

「きみが反発するんじゃないかと心配だったんだ。僕らは出費の話が苦手だし、きみはジョヴィーの世話と仕事で忙しいから、つい言いそびれてさ。それに、ＦＩＲＥを目指すには、ライフスタイルをがらりと変える必要がある。僕らにそれができるかどうか自信が持てなくて……」

テイラーは黙って聞いていた。これが僕の突拍子もないアイデアのひとつか、もっと真剣な提案かを見極めようとしているにちがいない。

「ほんとに早期退職ができると思う？」

僕はうなずいた。

「だったら、もっと知りたいわ」

〈幸せを感じる瞬間ベスト10〉エクササイズ

人間の寿命は限られているのに、そのほとんどが、生活費を稼ぐことと稼いだお金を使うことに費やされている。だが、きみが自分の時間を使って本当にやりたいことはなんだろう？何をしているときに楽しいと感じる？ どうすれば限られた時間をめいっぱい有効に使えるのか？

ベスト10エクササイズは、簡単にできるし、とても効果がある。まず、1週間を通して自分が楽しいと感じるときを10個書き出そう。1カ月単位でもかまわないが、僕は1週間をお勧めする。1日だと慌ただしすぎるし、やらなければならないことが多すぎる。1カ月では長すぎて、大がかりな計画や大きな出費を伴うアイデアに走りがちだ。自分が1週間何をして過ごすかが、長い目で見れば、人生を通して何に時間を使うかになる。このエクササイズが効果的なのはそのためだ。

配偶者や恋人とリストアップするときは、書き終わるまで比べないこと。10個書き終えたら、まずその内容を自分で考えてみよう。何か気づいたことはないか？ 決まったパターンやテーマがあるだろうか？ そこに含まれていないものはなんだろうか。

おまけ：毎月何にお金を使っているか、最も多いものを10個挙げて、先ほどのリストと比べてみよう。自分が実際に楽しんでいることにお金を使っているかどうかが、はっきりわかる。

それから数日間、テイラーと僕はＦＩＲＥについてじっくり話し合った。テイラーは興味深そうに僕のアイデアに耳を傾けていたが、極端すぎる、と不安をもらした。

「いまの生活から、いったいどうやったら食費を切り詰めるキャンピングカー生活に移行できるの？　そんなに簡単に収入の半分を貯金して10年で退職できるなら、どうしてみんなそうしないの⁉　そもそも、私たちに収入の半分を貯金することなんてできるかしら？」

僕には答えられない質問も多かった。だが、覚悟を決めて一歩踏み出せば、なんとか方法は見つかるはずだ。とにかく、ふたりとも現在のライフスタイルに幸せを感じていないのはたしかなのだから。

さいわい、ポッドキャスト〈ChooseFI〉の「ＦＩの柱」というエピソードがきっかけとなり、テイラーの意識が変わった。ＦＩＲＥはたんなる興味の対象から、真剣に取り組むべき実現可能な選択となったのだ。〝なぜ〟倹約するかというＦＩＲＥムーブメントの哲学をようやく理解し、ＦＩＲＥが自分たちにとってどんな意味を持ちうるかがわかると、テイラーはすっかり興奮した。そして自分が重要だと思う、ホストのブラット・バレットの言葉を僕にも聞かせてくれた。

「僕たちは、人生はこう生きるべきだと指図するつもりはまったくない。ただ、ほんの少し違う考え方をしてはどうかと提案しているだけだ」

テイラーは、ＦＩＲＥ＝極端な倹約生活とはかぎらない点が気に入った。ＦＩＲＥとはたんに経済的独立を目指すこと。経済的自由を何年で達成するか、その過程でどんな選択をするかは、本人しだいだ。自分のやり方でＦＩＲＥを目指せると知ったテイラーがすっかり乗り気になったので、僕らは具体的な数字を弾き出す作業に取りかかった。

ふたりしてキッチンのテーブルにつくと、僕は前の週に行った二通りの計算をテイラーに見せた。インターネット上の早期リタイア計算式というツールに、２０１６年の確定申告書の額を入れて導き出した数字だ。この年の僕らの手取り収入は14万２０００ドルで、支出の合計は13万２０００ドル（これには、ようやく完済したふたりの教育ローンの1万ドルも含まれていた）、貯金は1万ドル少々。ひとつ目は、これまでどおりの生活を続けた場合、つまり年間支出を12万ドル（1カ月1万ドル）として、退職まで何年かかるかを弾き出したもの。もうひとつは年間支出を半分の6万ドルに抑えた場合。ＦＩＲＥの公式に従っているため、どちらも投資に5パーセントの収益率を見込み、元本の4パーセントを生活費として引き出すことを想定している。

早期リタイア計算式とは

まず現在の収入から年間支出を引き、貯蓄率を割り出す。その貯蓄率を基に必要な数字をあてはめると、投資からの収益で年間支出を賄えるだけの貯金ができるまで何年かかるかをコンピューターが弾き出してくれる。

インターネットには、素晴らしい早期リタイア計算ツールがいくつもあるが、すぐにも数字をあてはめて早期退職までの年数を知りたい読者のために、僕は『FIRE　最強の人生向上術』計算式を作成した。この計算式は、たとえば住宅ローンを完済したあとなど将来の収入・支出の変化を計算に入れることができないため、完璧とは言えない（今後アップデートする予定）が、手始めにはなるはずだ。ぜひplayingwithfire.com/retirementcalculatorで試してみてほしい。

① 1年前の生活

退職までにかかる年数：**34.3年**
貯蓄率：**16%**
年間支出：120,000ドル
年間貯蓄額：22,000ドル
毎月の出費：10,000ドル
毎月の貯蓄額：1,833ドル

② 現在の生活

退職までにかかる年数：**11年**
貯蓄率：**58%**
年間支出：60,000ドル
年間貯蓄額：82,000ドル
毎月の出費：5,000ドル
毎月の貯蓄額：6,833ドル

計算の仕方については前述のとおりだ。我が家の年間支出を６万ドルに抑えれば、投資からの収益でいまのライフスタイルを維持するのに必要な元金は１５０万ドル。これを貯めるのにいったい何年かかるのか？　僕の計算によれば、１年に８万２０００ドル貯めて11年。僕らの収入がいまよりも上がるか、年間支出を６万ドル以下に抑えられれば、もっと早く目標額に達するが、その逆なら目標達成にはもっと時間がかかる。

「物価は上がっていくわよね？　それに株が暴落したらどうなるの？」とテイラーが訊いてきた。僕らはふたりとも、２００８年の不況で友人が職や家を失ったのを見ている。同じことが自分たちの身に起こるリスクはおかせない。

「この計算では、期待収益率は投資額の５パーセント、取り崩し率は４パーセントに定めてある」と僕は説明した。インデックスファンドの年間収益率は、まれに5パーセントを下回る年もあるが、ほとんどの場合はるかに上回る。理想的には、この１パーセントの差がインフレや市場の変動に対する備えとなってくれるはずだ。ただし、株が大暴落した場合はそのかぎりではない（次ページの「株が大暴落したらどうなるのか?」を参照）。

僕はこう付け加えた。

「ＦＩＲＥを成し遂げた人たちは何百人もいる。みんなこの計算に従って、もう何十年も自由を謳歌（おうか）しているんだよ」

株が大暴落したらどうなるのか？

テイラーと同じ不安を抱える読者もいるかもしれない。株が大暴落して、投資したお金の価値が一瞬にして激減したら、どうなるのか？ 貯金も職も失って、不幸のどん底に突き落とされるのではないか？

ＦＩＲＥ計算式は、絶対安全ではないし、世界規模の金融危機が起こったときにどうなるかを予測することはできない。だが、この方程式は……通常であればほとんど完璧にうまくいく。実際、さきほど引用したトリニティ大学の研究では、４パーセントの取り崩し率であれば、30年という予測期間において、98パーセントの確率で資産を維持できるという結論になった。

最初にこれを読んだとき、僕はこう思った。だが、僕ら一家がうまくいかない2パーセントに含まれたらどうする？ それに40代でリタイアすれば、退職後の人生は30年よりもはるかに長くなる（と願いたい）。この疑問に対する一般的な対策は、リスクを減らすために年間支出の35倍を貯め、引き出し率を〝安全な〟３・25パーセントに設定することだ。そうすると、最初の計算よりも貯金する額が増えるが、世界規模の金融危機が起こったときのダメージは大幅に軽減される。

　加えて、貯蓄目標に達したからといって、必ず退職しなければならないわけではない。テイラーと僕は経済的独立を果たしたあとも（何らかの形で）働き続けるつもりだ。収入は少なくても、株が大暴落した場合の家計費ぐらいは稼げるだろう。

　年金も予期せぬ事態への備えになる。ＦＩＲＥを目指す大半の人々は年金収入を計算のなかに含めていないから、その受給が始まれば計算外の収入となる。それに、貯蓄が目標に達しないとか、世界の金融情勢の変化によって予定通りに進まないとしても、仕事を続けるか出費をさらに削れば、窮地を凌（しの）げるにちがいない。こうした備えのすべてが、完璧を期さねばならないというプレッシャーを軽減してくれるはずだ。

「このとおりにすれば、11年で仕事を辞められるの？」

テイラーの言葉に、僕はうなずいた。支出を半分に減らせば、ふたりとも40代で退職できる。

テイラーは僕を見上げた。「わかった。やりましょう」

　僕は肩にかかっていた重荷が取り除かれた気がした。いよいよこれで、テイラーと一緒に大きな冒険に踏み出すのだ。

「でも、BMWを手放す気はないわよ」
おっと、まだまだ道のりは長そうだ……。が、スタートとしては申し分ない。

テイラーの視点：FIREを受け入れた経緯

本書では、妻であるテイラーの視点からもFIRE体験を紹介することにした。FIREを目指す決断を下すにあたって、テイラーはこう書いている。

・・・

昔から、ラッキーなことに「お金」に関しては深く考えずに生きてきた。楽しくのびのびと暮らすのが幸せな人生を送るコツだと思っていたから。このライフスタイルには、高額な飲み代や航空券代、車の支払いやデパートで買った服の請求書が付き物だけど……仕方ないわ！　友人と出かければ奢(おご)りたいし、新しいレストランを試すのも、急に思いついて週末に旅行をするのも大好き。昔から、借金さえしなければ何の問題もない、というのがモットーだった。

だからFIREについて読み始めたときも、ちっとも興味が湧かなかった。惚(ほ)れ惚(ぼ)れする愛車に乗るたびに感じる幸せ、上等な服や靴、バッグを買う楽しさを手放すつもりはなかったし、〝愚かな消費者〟がいかに〝金を無駄に遣うか〟みたいな馬鹿にした物言いには反発さえ感じた。この〝FI（経済的独立）〟を目指す人々は、私の生き方が気に入らないでしょうね――そう思った。それからスコットが〈ChooseFI〉というポッドキャストを送ってきた。最初のエピソードで、ホストのブラッド・バレットとジョナサン・メンドンサが、経済的独立を果たす方法はひとりひとり違うと説明していた。「〝私の方法のほうがまし〟でもなければ、〝きみの方法が間違い〟でもない。各自が自分に合う方法で目的を達成すればいい。僕らはリスナーに指図したいわけではなく、最初の一歩を踏み出すガイドラインを示したいだけなんだ」と。このアプローチは、それまで読んでいた記事より、はるかに魅力的でとっつきやすかった。それに、贅沢品をたくさん持っていることや、海辺の高級住宅地に住んでいることに罪悪感を覚えずにすんだ。

最終的に私の考えが変わったのは、スコットが書き出した数字を見たときだった。いまと同じ生活を続けていれば、残りの人生のほとんどを働いて過ごさなくてはならない。このままでは、スコットやジョヴィーと一緒に楽しめる時間があまりにも少なすぎる。それは絶対にいやだと思ったの。

6万ドルという平均的な収入で7人家族がFI（経済的独立）を成し遂げた方法

FIRE実践例

ミズーリ州カリスペル在住のジリアン

『FIREを目指せ』のドキュメンタリーを撮影中、僕は同じようにFIREを志す何百人という仲間と知り合った。本書にそのインタビューの一部を収録した。

◉基本データ

F I 以前の仕事：営業
現在の年齢：35歳
F I を達成した年齢：32歳
現在の年間支出：3万ドル

自分にとってＦＩＲＥとは何か

貧しい家庭に育った私は、まだ小さいときにお金が選択肢と自由を与えてくれることを身に沁みて知ったの。子ども時代にはつらい経験をたくさんしたわ。お願いだから父さんと別れて、と泣きながら母に頼んだこともある。でも、母は自分の力で子どもたちを育てていく自信がなくて、離婚に踏み切れなかった。八方ふさがりだったから、働けるようになると即座に家を出て自活し始めたの。

ＦＩＲＥへの道

アダムと結婚したのは高校を卒業した1年後。高校時代に８０００ドル貯めていた私は、そのお金で家代わりのキャンピングカーを買い、結婚して最初の1年はアダムと一緒にそこに住んだ。アダムには4万５０００ドルの負債があり、その後まもなく、医療費の1万ドルもそれに加わった（健康保険に入っていなかったため）。だから、私たちは5万５０００ドルの借金と、20年落ちのキャンピングカー、あちこちの部品を交換してなんとか走るようになったジオ・メトロとともにＦＩＲＥをスタートしたの。順調な滑りだしとはとても言えないわね。アダムが教育ローンを返済するため軍に入隊したあとは、できるだけ倹約して彼の収入だけで暮らし、私の収入はそっくり貯金に回したわ。ルームメイトをひとり受け入れ、休暇は毎回、安上がりなキャンプ。そうやって21歳で借金を完済し、24歳になったときには10万ドルの貯金ができていた。

10年後、アダムは軍曹として除隊し、ひと月1450ドルの軍人恩給をもらうようになった。そのあともふたりで働き続け、貯めたお金で家を現金購入し、それから2軒の家賃収入用の家も買うことができた。ずっと経済的に独立するのが目標だったけど、ほかにも大きな夢があった。少しのあいだ仕事を辞め、長期休暇をとって、経済的独立を達成したあとの人生をちょっぴり味わってみたかったの。世界を旅して周りたいし、養子をもらいたい。経済的独立を達成する前にこの希望を叶えたかったから、FIREを目指しながら1カ月から1年にわたる長期休暇を4回はさみ、27カ国を訪れ、外国に住み、4人の子どもを養子にし、自分たちの子どももふたり持ったわ。

要約

- ✓ 平均年収6万ドルで、13年かけてFIを達成。
- ✓ その過程で、4回休暇をとって旅行し、養子をとり、家賃収入用の家を購入。
- ✓ 夫の軍人恩給と、家賃収入、投資からの収益で生活費を賄う。

✓ 早期リタイアにより、里子を4人養子にして面倒を見る経済的余裕ができた。
✓ 現金5万ドルで古い家を買い、ほとんど自分たちで改装した。

一番つらかったこと

30代で退職したことで、一部の友情にひびが入ったこと。私たちの早期退職にすっかり混乱した人たちがたくさんいたの。私たちはふたりとも高給取りではなかったから、なおさら戸惑ったんでしょうね。年齢とともに成長し、変化する過程で昔からの友人たちを失うのはつらいことだけど、経済的独立を果たして自分たちの夢を実現していることに理解を示してくれる人々もいる。私たちが早期退職したことでお互いのライフステージがずれ、疎遠になった場合もあった。

一番よかったこと

FIRE実践の一番の収穫は、3人兄弟を揃って養子にするゆとりを持てたことよ！　まとめて3人の面倒を見ることができた里親は、それまでひとりもいなかったの。あちこち旅をし、家族を優先する暮らしのなかで、子どもたちはみな立派に育ってくれた。生まれたときからずっと一緒に過ごしているような気がするくらい強い絆（きずな）で結ばれているわ。

私のアドバイス

自分がどんな人生を歩みたいかを具体的に決めて、いますぐＦＩＲＥを目指すこと。私たちの資産のほとんどは、早めに貯金を投資に回したことと、ある程度のリスクをおかして不動産を購入し、家賃収入を得たことで蓄えられた。なるべく早く決断することが鍵よ。

第4章
たかがコーヒー代、されどコーヒー代

CHAPTER 4 : I SPEND HOW MUCH ON COFFEE?!

FIREを実践しようと決めたからには、計画的に支出を減らさなければならない。参考にさせてもらったのは、Mr.マネーマスタッシュの〝早期リタイアを実現に導く驚異の計算式〟だ。彼いわく、肝心なのは収入対支出の割合を比較すること。給料の手取り額の60パーセントを貯金すれば、およそ10年で退職できる。しかし、現在は収入の10パーセントにも満たない貯金額（それどころか、ときどき旅行や高額商品の購入で残高がガクンと減る）を、どうやって60パーセントに増やす？　FIREを目指す人々のほとんどは、〝3大支出〟と呼ばれる、住宅費、交通費、食費に的を絞る。2年契約で賃貸物件に住む僕らの場合、すぐには引っ越せない。車に関しても、僕が乗るマツダのリース契約は破格の安値だし、テイラーはBMWのリースをあきらめる気はないと断言している。

そこで、10のステップとして僕らが考えたのは――

①　アマゾンでの買い物や、最新の電子機器、服、ジョヴィーの玩具など〝気晴らし〟的

な出費を減らす。

②外食をやめる。朝と夜は家で食べ、仕事場には弁当を持参する。

③インターネット料金や、ネットフリックス（Netflix）やフールー（Hulu）といった動画配信サービス費、電話代、ジムの会費、ジョヴィーの水泳教室代など毎月の固定費を見直す。

④ビーチを散歩し、自宅で映画鑑賞、友人と持ち寄りパーティなどをして、お金をかけずに楽しむ。

⑤家にある使わないもの、必要のないものをすべて売る。

⑥託児所やナニーの共有など、いまより安くジョヴィーを預けられる方法を探す。

⑦スコットの通勤も含め、可能なかぎり自転車で移動する。

⑧休暇の回数を減らし、クレジットカードのポイントを有効活用する。

⑨借家契約が切れしだい、もっと家賃の安い地域に移る。

⑩収入を増やす方法を探る。スコットがときどきフリーランスの仕事を受けるとか、テイラーが毎回、歩合制のノルマを最大限達成するよう努めるなど。

これに加え、実際は何にどれだけお金を使っているかを把握しなくてはならない。この作業を通して、貴重な発見をする予感がした。

これまで借金をせずに暮らしてこられたのは、きちんと計画を立てていたからではない。正直言うと、僕らはずっと出たとこ勝負だった。テイラーの仕事が歩合制で、僕もたいていプロジェクトごとに報酬をもらうため、収入は毎月一定とは言えず、把握するのが難しい。おまけに、必要なときはいつでも稼げると気楽に考え、収入の減りそうな月に備えてせっせと貯蓄するどころか、常に収入の多い月並みに散財してきた。いま考えると、これまで収入が急激に減ることなく順調に増えてきたのは、幸運以外の何ものでもない。

実行可能かつＦＩＲＥに則した予算を立てるため、僕らは毎月の支出を書き出すことにした。支出を細かく見直そうと思ったことはこれまでも何度かあったが、１日延ばし（１年延ばし）にしてきた。その作業で無駄遣いが明らかになるのが怖くもあり、こんなに働いて高収入を得ているのだから細々した出費を思い煩う必要はないと開き直る気持ちもあったのだと思う。今回はいやでも向き合わねばならない……が、不思議と以前のような不安は感じなかった。ＦＩＲＥという大きな最終目標ができた僕らは覚悟を決めて、３月初めの土曜日の午前中いっぱい費やして支出を書き出した。

リーケンズ家の毎月の平均支出

まず毎月必要な出費を大まかなカテゴリーに分け、家賃や食費などは年間平均から割り出した。ほかは２０１７年の２月（直近の１カ月）の支出である。すでに給料から天引きされた健康保険、国税、連邦税は（手取りからの〝支出〟ではないので）除いている。内訳と総額は次の通りだ（わかりやすいように端数は切り上げた）。

家賃	3000ドル
保育費	2500ドル
車のリース代	650ドル
車両保険とガソリン代	600ドル
水道光熱費	150ドル
医療費の自己負担額＆処方箋代	140ドル
携帯＆インターネット代	300ドル
食料品費	1000ドル

外食代　1100ドル
ボートクラブ会費　350ドル
娯楽費　450ドル
雑費　100ドル

合計すると、月の平均支出は1万340ドル、1年で12万4080ドルになる。収入はたしかに多いが、厳密に言えば給料ぎりぎりの暮らしをしているのだ。僕が長いこと目を背けてきた事実が、いまや目の前にはっきりと示されていた。いつまでもこの状態を維持できるわけがない。僕かテイラーのどちらかが解雇されるか、思いがけない高額の出費が必要になれば、たちまち家計が破綻してしまう。

FIREを実践する目的は、支出総額を減らすためだけではなく、価値観に合ったお金の使い方を身に着けるためである。両者のあいだにある大きな溝を目の前に突きつけられ、自分たちがいかに将来のことを本気で考えていなかったかを実感した。テイラーも僕も、物の少ないシンプルな暮らしの素晴らしさを頭では理解していたが、実際のところ、ほとんど貯金せずに散財するという、長い目で見た安定よりも一時的な満足を求める生活を送ってきたのだった。

月の経費を30で割ると、1日平均345ドルになる。これまでウェストエルム（訳註：ニューヨーク発のインテリアショップ）のセールで買った750ドルの絨毯（もとは1000ドルだったから、超お買い得品だ！）の下に押しこんできた問題が明らかになった。僕らは必要のないものを次々に買う一方で、楽しい旅行やリラックスできるひと時、家族水入らずで過ごす時間といった心から求めているものが足りないと感じていた。僕らの家には、たくさんの物があふれている。洒落た家具にブレンダー、薄型テレビ、50ドルもするワイン……。その代価は「お金」ではなく、それを稼ぐために犠牲にした家族の団欒や心の安らぎなのだ。

さらに、書き出した支出を見てわかるとおり、そういう状況になった責任は、残念ながらテイラーだけでなく僕にもあった。自分は妻よりも倹約家だと常々思っていたが、目の前の証拠はそうでないことを示している。高級デパートで買い物をし、BMWをリースしているのはテイラーでも、高価なランチと電子機器に目がなく、ボートクラブの会員費を払っているのは僕だった。それから、450ドルと書かれた娯楽費に目を留めた。450ドルだなんて、どんな娯楽なんだ？　様々なアウトドア・アクティビティが無料で楽しめるサンディエゴに住んでいるのに！

1カ月の食費は2100ドル、1日70ドルだ。最近読んだ記事には、FIREを目指す夫婦が家で料理をして1日10ドル以下の食費ですませている、とあった。どうすれば、70ドルを10ドルに減らせるのか？　恥ずかしいほどの散財ぶりを示す数字をにらみながら、僕は心のなかで言い訳していた。「ブレンダーに549ドル払うのは無駄遣いじゃないさ。それにどう考えても車は2台必要だ。サンディエゴは車社会なんだから！」必死に頭をひねっても、減らせる支出をひとつ思いつくたび、それなしでは生きていけない別の支出が浮上してきた。

「でも、一応貯金はしてるわ」テイラーが言った。

そうとも。ただ、その額が少なすぎる。すでに書いたように、前年の2016年、テイラーと僕の合計収入は税引き後14万2000ドルだった。2016年の支出は13万2000ドルだから、去年の貯金額は1万ドル。我が家の場合、年間の平均貯蓄額はほぼこれくらいだ。僕らはこれまで漠然とではあるが、収支を心配する必要はないと思ってきた。テイラーの401kとRoth IRA（ロスアイラ）（訳註：拠出時課税、給付時非課税の個人退職年金）に僕の会社から振り込まれる額を含めれば、我が家の貯蓄は合計19万ドル近くになるからだ。

しかし、目の前にある現実と、僕らの浪費癖、それが家庭にもたらす長期的な弊害をもはや無視することはできない。こうなると、いままで頭に思い浮かべていた夢の生活（海辺に住み、最新のテクノロジー機器を買い、高級レストランで食事をする）は、実際には夢の生活ではなかったのは明らかだった。真の夢の生活とは、すべてを支払う重荷から自由になることだ。

もっと重要なのは、僕らは〝比較的まともなお金の使い方をしている〟と思っていたが、これがとんでもない思い違いだったことだ。いまの生活を変えるためには、日々の支出を細かく把握しなくてはならない。僕らは不必要な〝一時〟出費――仕事に必要だと思ったドローンや、ジョヴィーの最新電動式ベビーベッド、シカゴへの週末旅行――に貯金を使ってきた。その種の〝一度かぎり〟の出費は毎月の予算には含めなかったが、これからはそうした支出もすべて入れる必要がある。

実を言うと、僕は愚かにも、支出を書き出せば、思っていたよりもずっと賢くお金を使っていたことがわかるはずだと思っていた。そして、ちょっとした工夫で簡単に支出を半分に減らせると楽観していた。ところが、ふたりともＦＩＲＥへの道には程遠いという、非常に厳しい現実を目の当たりにすることになった。

・
・
・

さて、どの項目を削ろうか？　常識的な生活がどんなものか見当もつかないとあって、リストを前にしてふたりとも途方に暮れた。サンディエゴの友人の大半は、僕らと同じライフスタイルだから参考にならない。年間支出だって、彼らのほうが多いくらいだ！　一方で、僕らの半分以下の生活費で暮らしている家族もいる。だが、どうすれば半分にできる？　どこから手をつけたらいいのか？　望み通り最速で経済的独立を達成するためには、とにかく支出をばっさり削る必要がある。

そこで、食費に注目することにした。〈Frugalwoods〉一家は、外出は1年に二度のみ。〈ChooseFI〉のブラッドの奥さんは工夫を凝らし、ひとりにつき2ドルの材料費で食事を作れるようになったという。Mr.マネーマスタッシュことピート・アデニーは、コストコ通いを推奨している。つまり、外食をやめて自分で料理し、食品は大量買いすべし、ということだ。

それまで、僕は毎朝スターバックスに寄ってコーヒーとサンドイッチを買っていた。まず、こういう無駄遣いをやめなくてはならない。オフィスに行けばフェアトレードコーヒーが無料で飲めるし、社員用の水出しコーヒー機もあるのに、毎朝コーヒーを買っているとテイラーに打ち明けるのは、ひどく気まずかった。今後、朝食にはコストコでまとめ買いした卵とトルティーヤで作った冷凍ブリトーを持っていくことにしよう。

ウェブサイト〈Financial Mentor〉にある〝ラテ・ファクター計算機〟を使えば、この変化によって実際に〝いくらの節約〟になるかが即座にわかる。一見取るに足らない些細な支出が長期間ではどれくらいになるのか？　ラテ・ファクターは、その無駄遣いを投資に回していたら、一定期間にどれだけ利益（と複利）を上げられるかを教えてくれる。

僕がスターバックスでコーヒーとサンドイッチを買い続けたら、いくらになるか？

1カ月のスタバのコーヒーとサンドイッチ代：160ドル
1年（160×12）の平均コスト：1920ドル
30年間のコスト：5万7600ドル
同額を30年間投資した収益（想定利回り5パーセントで複利込み）：13万3161ドル

次に取り組んだのは昼食と夕食だ。もう何年も、ランチはほぼ毎日外で買い、週のほとんどのディナーを外食やテイクアウトで済ませるのが僕らにとっては当たり前になっていた。基本的に家では食べないということを前提にしていたから、料理をしようなんて考えもしなかったが、これからはほぼ毎日家で食べようと決めた。夕食を多めに作り、残りを翌日のランチに持って行けばいい。前もって献立を考え、コストコで材料をたっぷり買う。食料品の買い物の回数を減らす、大量買いする、リストにあるものしか買わないなどのちょっとした工夫で、驚くほど節約できることがわかった。

面白いことに（そしてまったく思いがけないことに）、毎日ランチを持参する僕を見て、同僚があれこれ訊いてくるようになった。毎朝スターバックスに寄り、ランチも買いに出ていた僕が、無料のコーヒーしか飲まず、タッパーに詰めた残り物を食べている。同僚はこの急激な変化に気づき、興味を持ったのだった。このとき初めて僕は、ほとんどの同僚が、思っていたよりずっと節約して暮らしていることを知った。南カリフォルニアで生活を切り詰めるのは無理だとずっと思ってきたが、それに反する証拠はずっと目の前にあったのだ。彼らの大半は毎日ランチを持参していたし、食費を切り詰めるコツやヒントもたくさん知っていた。素晴らしいことに、こうした会話は、ＦＩＲＥとそれがライフスタイルを変えるモチベーションとなったことを同僚に打ち明けるきっかけとなった。

出費を減らすにあたって何より難しかったのは、友だち付き合いだ。コロナドの友人のほとんどは、僕らと同じくらいバリバリ働いているから、会うときは手間のかからないバーやレストランになる。しかも、どうせならとトレンディな人気店を選ぶことが多く、それほど高級な店でなくても、夫婦ふたりで70ドルぐらい使うことはざらにあった。そうした外食を月に5、6回もすれば、結構な出費になる。テイラーとＦＩＲＥを始めると決意したあとディナーに誘われた僕らは、最初の何度かは安上がりなタコスの店を提案し、家に招いて手作り料理を振舞った。だが、すべての友人が、いつもこれを歓迎するとはかぎらなかった。

初めてこの問題にぶつかったのは、ある週末、友人のジョッシュとステフに寿司レストランに誘われたときだった。太平洋が見渡せる美しい家に住んでいることからしても、ふたりが僕らよりずっと高給取りなのは明らかだ。ＦＩＲＥを実践する前なら、寿司ディナーにひとり80ドル払うことにまったく抵抗はなかっただろう。だが、ＦＩＲＥを目指すと決めたいま、その決断を翻すようなことはできない。僕はもっと安あがりの店にしないかとジョッシュにメールを送り、ふたりの家に近いカジュアルなレストランを提案した。だが、その店には先週行ったばかりだという。次善の策として自宅に招いてみたが、彼はどうしても寿司を食べたがった。

「とにかく行きましょうよ。食べる量を減らせばいいわ」テイラーはそう提案した。最終的に僕らは寿司レストランに行くことにしたが、ワインは注文しないことに決め、家を出る前に軽く腹ごしらえをした。

そしてワインをボトルで頼もうと言うステフに、気まずい思いをしながら首を振った。ふたりとも今日は飲まないから、と。美味しいものや楽しいことにはいつも「イエス！」と言ってきたのに、堅苦しく断るなんて、ちっとも僕ららしくない。ケチっているように見えるだけでなく、せっかくの楽しい雰囲気に水を差していると思うと、ひどく気まずかった。倹約しようという新たな決意を貫けたことは誇らしかったが、その理由をジョッシュたちに話す勇気はなかった。

「きみも気づまりだった？」帰り道、僕はテイラーにそう尋ねた。

「食事自体は楽しかったわよ。すぐに何を食べているかなんて、どうでもよくなったわ。目的は友だちと楽しく過ごすことだから。でも、ワインを断ったことがステフたちの目にどう映っているかはずっと気になっていた。節約しようとしているのはみえみえだったもの」

これからは、もっとうまくごまかすか、こういう外出を避けるか、相手が当惑しないようにすっかり打ち明けるか——取るべき道は3つにひとつだ。隠すのはまずい。それに外出を避ければほとんど友人に会えなくなる。結局、正直に打ち明けるのがいちばんだという結論に達した。そうすれば、ディナーを持ち寄ってゲームをするなど、あまりお金のかからない遊び方を向こうから提案してくれるかもしれない。世間知らずにも、僕は友人たちもＦＩＲＥムーブメントに賛同してくれるかもしれないと半ば期待してもいた。

全体的には、食費を削るのは恐れていたほど苦痛ではなく、不満がたまることもなかった。実際3月の終わりには、ふたりともＦＩＲＥのライフスタイルを実践するのは、思っていたより簡単だと感じていたくらいだ。週末はもっぱらサイクリングを楽しみ、昼食は残り物で間に合わせ、友人に会うときは家に招く。こうして細々とした倹約に取り組み始めた僕らに、もっと大きな変化を起こすときがやってきた。

第5章
BMWと
ボートクラブ

CHAPTER 5 : BMWs AND BOAT CLUBS

テイラーと僕の〝BMWサーガ〟は、僕がFIREを知るずっと前、ジョヴィーが生まれた頃に始まった。当時テイラーが乗っていたのは、信頼性の高い2010年式シボレー・エクイノックスだった。その頃の僕らは何年かごとに新車に乗り換えていた。いま考えると、まったくばかげている。故障してもいないのに、なぜ頻繁に新車に乗り換えるのか？　たいていの車は15年から20年はゆうに走るから、4、5年で新車に乗り換える必要はまったくない。とはいえ当時はその習慣を疑問に思わず、正当化していた。〝タホ旅行には、四輪駆動車じゃないと。走行距離が15万キロ以上になる車で高速道路を走って、故障したらどうする？　最新のカーナビは必要だな。サンルーフ付きでなきゃ〟などなど、理由はいくらでもひねり出せたが……本音は、ただ新しい車に乗りたかっただけだ。

だから、ジョヴィーが生まれてから何か月か経ったある日、テイラーが車を換えたいと言っても、とくに驚かなかった。僕自身、少し前にマツダの新車にしたばかり。毎月250ドルという格安のリース契約をゲットできて大満足だった。それでもBMWに乗りたいと言われたときには、さすがに驚いた。僕らは性能のいい実用的なマツダやスバル派で、見た目にこだわるＢＭＷ派ではないと思っていたからだ。だが、テイラーは頑としてＢＭＷがいいと言い張った。

僕らが払えるリース料の上限が月額４００ドルだという点は、テイラーも同意した。「その値段で見つかれば、ＢＭＷに乗ったらいいよ」僕はそう言ったものの、そんな安値でＢＭＷをリースできるディーラーなどないと高を括っていた。そのうち探し疲れて、楽にジョヴィーを乗せ降ろしできる中型のＳＵＶか、手頃な（僕らにも払える）リース料の車に決めるだろう、と。

１週間後、テイラーは黒の２０１５年式ＢＭＷ ３シリーズ ＧＴハッチバックに乗って颯爽と帰宅した。素晴らしいスポーツカーだ。ＢＭＷは中古車リースを扱う数少ない企業のひとつで、テイラーは２０００ドルの頭金と月４０１ドルでリースできる少し前の年式のＢＭＷを見つけたのだった。この日、僕は貴重な教訓を学んだ。どれほどありえない確率だろうと、テイラーはほぼどんな障害も――笑顔で――克服できることを。

それはそれとして、倹約生活を決意したいま、ＢＭＷにこのまま乗り続けていいわけがない。しかしテイラーは、僕がＦＩＲＥの話を最初に持ち出したときから、ＢＭＷをあきらめる気はないと断言し、それ以来、その話をすることさえ拒否していた。ＦＩＲＥの実践に妻の協力を得たければ、ＢＭＷの３文字は禁句だ。

テイラーに翻意を促すには、僕自身、ボートクラブを退会するというつらい決断を下す必要がある。 家族とＦＩＲＥのためなら大きな喜びの源を犠牲にする覚悟があることを、僕が率先して示さなければならない。

サンディエゴに引っ越した当初、僕らはサーフィンやパドルボード、カヤックを楽しみ、青く澄みわたった海を泳ぐビーチ生活を満喫する気満々だったが、残念ながら、これは計画倒れに終わった。まもなくふたりとも仕事に追われ、そうした楽しみに使う時間がほとんどなくなってしまったのだ。ゆくゆくは自分のボートを買うのが僕の夢だったが、手入れをする時間も、月５００ドルの維持費を払う余裕もないという厳しい現実の前に、この夢はもろくも崩れ去った。

ボートクラブに入会するとき、僕はテイラーをこう説得した。

「毎朝、コロナド橋を渡りながら綺麗な海を見ると、いまの生活に何が欠けているかに気づくんだ。そして焦燥感に駆られる。こんなに必死に働くなら、せめてひとつぐらいはその見返りが欲しいじゃないか」

このボートクラブなら、車を乗りつけるだけでいい。友人と一緒にサンセットクルーズに出る、ナインマイル・バンクと呼ばれる浅瀬の近くで釣りをするなどの目的に合ったボートをその場で選び、海で過ごしたあとは、ボートを桟橋につけ、そのまま帰宅できる。メンテナンスや掃除にまったく時間をとられず、使ったガソリン代を清算すれば、それでおしまい。しかも、国内の同じ系列のクラブはすべて利用可能だ！　入会してもボートの所有に付き物の面倒な手間が一切かからないのは、僕らのように多忙で旅好きの夫婦にはもってこいだった。

期待どおり、いや期待以上に、ボートクラブの会員権は役に立った。顧客とベイに出たり、テイラーとジョヴィーを乗せて船上ランチを楽しんだり、仕事を終えてから友だちと釣りをしたり。この会員権は、心から使ってよかったと思える自分のための出費だ。それをあきらめることなど想像もつかない。ＦＩＲＥを目指すなら、毎月の支出を大幅に削減する必要があるが……いま退会したら、月会費とは別に最初に払った入会費６０００ドルを、みすみす溝（どぶ）に捨てるようなものではないか？

経済学者はこの心理を〝サンクコスト効果（コンコルド効果）〟と呼ぶ。これは、損失する可能性が高いとわかっていても、過去に費やした労力やコストの価値を引きずってしまい、やめられない心理のことである。

サンクコスト効果

FIREを目指す初心者は、この心理に陥りやすい。ガソリン代を減らしたいのに、買ったときの値段よりはるかに安値でしか売れないからと、やたらとガソリンを食う古いトラックに乗り続ける。もっと家賃の安いところに引っ越したいが、買ったばかりの家具が狭いアパートに入らないからあきらめる。サイズが合わないジャケットがクローゼットにかかったままだが、200ドルもしたと思うと処分できない。いわゆる、〝だって、もったいないじゃない〟の心理だ。

物の価値を判断する時に、実際の市場価格や今後の価値ではなく支払った金額のみを考えると、この〝サンクコスト効果〟にはまってしまう。トラックや家具やジャケットに投資したお金はすでに払ったのだから、その金額を基準にして手元に置くか処分するかを判断してはいけないのだ。ジャケットの現在の価値は200ドルではなく、古着屋がそれを買い取る値段でしかない。

要するに――すぐさま処分して、これ以上の〝損〟を防ぐべきなのである。

ＦＩＲＥへの取り組みは、僕が陥ったサンクコスト効果に気づかせてくれただけでなく、すべての出費を考慮するさいの頼もしい指針にもなった。ボートクラブ、ＢＭＷ、ジム用品、ドローンが欲しいのか、それとも10年で経済的独立を果たしたいのか？　この品物もしくはサービスは、自分の人生と幸せにとって優先度の高いものか？　たとえ答えが「イエス！」だとしても、目標年数内に経済的独立を実現するよりも重要だろうか？　僕は常に自分にそう問いかけるようになった。

テイラーと一緒にＦＩＲＥの旅をスタートさせてから５週間ほど経った４月初めの上天気の土曜日、僕らは最後にもう一度、海に出ることにした。サンディエゴの美しい午後だった。気温は22度、太陽が燦々（さんさん）と輝くなか、カブリヨのマリーナで全長６メートルの小型ボートに飛び乗り、サンディエゴ湾に繰り出した。テイラーと僕はお気に入りの地ビールを開け、海上で過ごした楽しい日々と幸せな思い出に乾杯した。夕陽が沈むなか、ＵＳＳミッドウェイ博物館やダウンタウンの美しいスカイラインを眺めながら、後部デッキでジョヴィーを追いかける妻を横目に僕はこう思った。ボートで海上を突っ走る喜びは捨てがたい。だが、家族と過ごす時間を増やすためなら、あきらめる価値はある。

「テイラー」僕は大きく息を吸ってから続けた。

「ＢＭＷのことを話し合わないか」

　ボートクラブの会員権を手放してから1週間というもの、僕はＢＭＷの話を切り出すのをためらってきた。だが、もう先延ばしにはできない。ボートクラブを退会し、娯楽費を大幅に切り詰め、アマゾンの買い物をあきらめても、ひと月の平均支出はまだ８０００ドルもある。自家用車は1台にして自転車で通勤するつもりではいるが、マツダのリースに月々２５０ドルしか払っていないことを考えると、月４００ドルのＢＭＷを手放すほうが理に適っている。

　テイラーはＢＭＷと聞いたとたん顔をしかめたが、決して無理強いはしないと僕が約束すると、話し合うことに同意した。ＦＩＲＥ先駆者のヴィッキー・ロビンは、共著書の『お金か人生か——給料がなくても豊かになれる9ステップ』〔ダイヤモンド社刊〕で、〝買い物をするときは、その品物が与えてくれる達成感や満足と、それを買うために働く時間を天秤にかけなくてはならない。ひとつひとつの品物が、あなたの人生の何時間に相当するのか？〟と問いかけている。テイラーの同意を得て、僕らはこの考え方をもとにＢＭＷについて話し合うことにした。

「高価なスポーツカーの〝利点〟は、ほぼグランツーリスモのエンジンだ。でも、きみはこのターボ機能を使っていないよね？」

僕はそう指摘した。

「だけど、ＢＭＷを運転するのが好きなのよ」テイラーはそう答えた。「私にはすごく意味のあること、幸せを感じることなの。何を削っても、ＢＭＷだけは手放したくないわ」

しかし、ＢＭＷに乗り続けるのはＦＩＲＥの原則すべてに反している。テイラーがどれほどＢＭＷに乗っていたくても、それを見過ごしにはできない。そこで、しばらくしてこう尋ねた。

「ねえ、昔のきみは派手な車なんて興味がなかったじゃないか。それがいまは、馬力のあるエンジンと本革シートがないと生きていけないみたいに、あの車に執着してる。きみらしくないよ」

「ジョヴィーと過ごす時間を削って、くたくたになるまで働いているし、ストレスだって相当なものよ。だけど月末になると財布はほとんど空（から）っぽ。なんのためにこんなに必死で働いているの？　ひとつぐらい、〝これのため〟と言えるものがあってもいいじゃない？　ＢＭＷに乗っていると、朝から晩までせっせと働いているのは〝このため〟だと実感できるのよ」

その気持ちは理解できた。新しい携帯電話や、高額なコンサートのチケットを買うときに、僕自身、何度もそう思ってきたから。だが、〝せめてこれくらい〟の贅沢（ぜいたく）が積もり積もれば、そのために何年も余分に働かねばならない。僕は〝リタイア計算式〟で、ＢＭＷを運転し続けると退職が何年延びるかを実際に示すことにした。リース契約を解除しなければ、年間出費は

BMWを手放した場合

退職まで：**11年**
貯蓄率：**58%**
年間支出：60,000ドル
年間貯蓄額：82,000ドル
毎月の出費：5,000ドル
毎月の貯蓄額：6,833ドル

BMWに乗り続けた場合

退職まで：**12.5年**
貯蓄率：**54%**
年間支出：64,812ドル
年間貯蓄額：77,188ドル
毎月の出費：5,401ドル
毎月の貯蓄額：6,432ドル

４８１２ドル（月額リース料４０１ドル）。それを６万ドルの年間支出に加えると、ＦＩＲＥ達成は18カ月先になる。つまり、ジョヴィーと少ししか一緒に過ごせない生活、会議や出張や通勤に我慢する生活を、１年半もよけいに送らなければならないのだ。本革シートといえども、僕らの人生の１年半には値（あたい）しない。

　テイラーはギョッとした顔で僕を見た。

「この計算、ほんとに合ってるの？」

　僕が見せたのは、前頁の数字だ。

　数日後、テイラーはＢＭＷのリース契約を引き継ぐ人を探すため、リース転送会社のウェブサイト（swapalease.com）に投稿した。数か月後ようやく相手が見つかり、引き取りに来た男がＢＭＷに乗って我が家の前から、僕らの人生から走り去るのを見送った。４カ月後、テイラーは、どんなにあの車を愛していたか、あの車を運転できなくてどれほど寂しいかを打ち明けた。

「でも、あれに乗り続けた場合、退職できる日が１年半も遅くなるとわかったあとは、手放すと決めたことを後悔していないわ」

　この言葉を聞きながら、僕はテイラーの変わりように目を見張る思いだった。その後テイラーは、新しいライフスタイルを初対面の相手に話すたびにＢＭＷのエピソードを持ち出し、僕らの選択と、それが将来に与える影響を説明するようになった。ＦＩＲＥを始めたばかりの頃は、孤軍奮闘でＦＩＲＥを目指していると感じたものだった。「ノー」と言うのも、出費に関してけちけち言うのも常に僕のほうで、そのうち〝楽しみ泥棒のスコット〟と呼ばれるようになるのではないかと、不安でたまらなかった。ところが、ＦＩＲＥを実践し始めてまだほんの数か月なのに、テイラーは目標実現のためにＢＭＷを手放した経験を得意げに語っている。

これと似たようなエピソードは、何度も耳にしている。大好きな贅沢、ときには習慣になっている楽しみさえも手放す話を。湖畔の別荘、専属トレーナー、プール付きの家……そうした贅沢にかかる費用のために何年もよけいに働かなくてはならないと知ると、人は（遅かれ早かれ）喜んでそれを手放す。

僕らの持ち物がたんなる物ではなく、大きな意味を持っていることもわかってきた。ボートクラブの会員権は、僕が憧れるアウトドアライフを象徴していた。テイラーのＢＭＷは、自分が何のために働いているかの象徴だった。ＢＭＷを手放した夜、テイラーはこう言った。

「あの人が私のＢＭＷに乗って走り去るのを見て、とても悲しかったわ。でも、それは車を失ったからじゃなくて、〝以前の私〟の一部も一緒に走り去ったような気がしたからよ」

その気持ちは手に取るようにわかった。昔テイラーとのデートでひと晩２００ドルも寿司料理に払ったとき、あるいはサーフボードを載せたくてマツダ用のルーフラックを買ったとき――僕にはそれが、成功の証、人生を楽しんでいる証、理想の夫婦の証のように思えたのだ。

いまの僕は、昔の決断をまったく新しい目で見ている。そして贅沢な経験や品物にお金を使って一時的な欲求を満たす代わりに、長い目で見た幸せを優先させている。

だが、その方針からぶれずに進んでいくのは、口でいうほど簡単ではなかった。

FIREに適した車

経済的独立を目指す人々にとっては大半の買い物がそうだが、車の購入にもFIREに適した方式がある。効果抜群であることが実証済みのこの方式は、「自分と向き合うこと」、「現金払い」、「データ収集」という3つの要素からなる。

もちろん、この方針に従う必要も、同じ選択をする必要もない。FIREコミュニティにも、自家用車を2台所有し、比較的新しい車に乗り、ガソリンを食う車を手放さずにいる人は大勢いる。自分が幸せを感じるお金の使い方をするかぎり、どういう選択をしようがかまわない（ただし、未来を担う僕らの子どもたちのために、どうか環境に優しい選択をしてほしい)。

自分と向き合う：まず実際に必要なのはどんな車かを正直に認めよう。どの機能が必要で、どの機能がたんなる自己満足なのか？　思ったよりずっとシンプルな小型車でじゅうぶんかもしれない。年に一度しかホームセンターに行かないなら、トラックをレンタルするか友人から借りるほうが経済的だ。サンルーフやエンジンのターボ機能を、はたして実際にどれくらい使うだろうか？

現金払い：ローンやリースを避け、現金で車を購入する利点はふたつある。即金で払うため安くなる（ローンやリースには多額の利息や追加コストが発生する）し、強気で値段交渉ができる。もうひとつは、現金払いであればローンを組む手間が省け、ディーラーを使わずにネットや知り合いから買えることだ。

データ収集：Mr.マネーマスタッシュが〈賢い人間にぴったりの車10選〉で指摘しているように、車を買うとき僕らは、「友人が乗っているキアが壊れたから、キアは絶対買わない」など人づての情報に頼ることが多い。「信頼性のある車を見つけるコツは、人から聞いた体験談をすべて忘れ、数千人のデータを基にした情報源に頼ることだ」とMr.マネーマスタッシュはアドバイスしている。

大都市でFIREを目指す

FIRE実践例
ニューヨーク州ニューヨーク市のトッド

◉基本データ
F-以前の仕事：セールス
現在の年齢：32歳
F-達成予定年齢：40歳
現在の年間支出：11万ドル

自分にとってFIREとは何か

FIREを達成すれば、1日を好きなように過ごす自由が持てる。僕はもっとシンプルな生活がしたい。家族ともっと一緒に過ごしたいし、趣味や自然を楽しむ時間や、何もしないでいられる自由も欲しい。仕事のない週末は、最高だ。週末が嫌いな人間なんていないと思う。僕は毎日が週末のようなライフスタイルを手にしたい。

FIREへの道

妻のシャーロットと僕は2008年の不況のさなかに大学を卒業した。当時の収入はふたり合わせて5万2000ドル。ふたりとも〝夢を追い求めて〟いたし、給与の高い仕事につこうと思ったことはなかったから、年収の低い業界（スポーツとアート）で働き始めた。ところが、いざ働いてみると、報酬が少ないうえに友人や家族と過ごす時間が大幅に削られてしまう。結局数年後には、ふたりとも仕事と家庭生活のバランスをとれる仕事に転職した。

それから数年後、経験を積むにつれて収入が上がり始めた。余った分を最大限に活用したいと思っていた矢先、オンラインでFIREムーブメントに出会った。FIREの概念を最初に聞いたときは、ばかげているとしか思えなかった。いったいどうすれば、「ごくふつうの」収入しかない人間が、65歳になる前に退職できるのか？　ある日の午後、初めて具体的な数字をじっくり検討してみたところ、なんと〝家賃の高いエリアに住んでいる子だくさん一家〟という最悪の状況にもかかわらず、少なくとも理論上は、僕らもFIREを目指せると判明した。

要約

✓ 卒業直後、僕らの給料はそれぞれ2万7000ドルと2万5000ドルだった。これは2008年の不景気の始まりのことだ。

✓ 29歳でFIを知ったときの僕らの純資産は17万ドル。その後少しずつ生活を変えた結果、3年後には純資産が57万ドルに増えた。

✓ 大きな決断（車の購入、家の購入、結婚、子作りなど）を下すときは、その前に必ず熟慮し、精神的にも経済的にも用意が整ってから計画的に実行している。

✓ 僕らはふつうに生活している。ただ、何かにお金を使うときは、「これは、付加価値を与えてくれるか？　幸せをもたらしてくれるか？」と自問することにしている。

一番つらかったこと

実生活では、倹約家は孤立しがちだ――FIREを目指すうえで何より苦労したのは、この点だった。金銭についてあけっぴろげに話すのは一般的にはタブーとされているし、かなり親しい友人どうしでも難しい。FIREに関する話となると、つい熱がこもってしまうが、友人にこの話をすると決まって、彼らの状況ではとうてい無理な理由を延々と聞かされるはめになる。

一番よかったこと

ＦＩＲＥを始めて何年か経ったいま、僕らの計画はすべて実現し、実際にうまくいっている。もちろん、最終目標を達成できればこんな素晴らしいことはないが、計画が着々と進んでいること自体に満足しているし、それを誇らしく思っている。ＦＩＲＥはマラソンのように、人に究極の自信を与えてくれるんだ。ＦＩＲＥのライフスタイルを実践できるなら、残りの人生、どんなことでも実現できる気がする。

僕のアドバイス

会社勤めの場合は、仕事を情熱を注ぐ対象にしないこと。社員の貢献を感謝し、仕事に見合う報酬を支払う企業を見つけることだ。仕事の難易度が増すほど、給料は高くなる。そして１日も早くＦＩＲＥを達成し、夢を追い求めよう。

第6章
さらば、コロナド

CHAPTER 6 : GOODBYE, CORONADO

2017年8月8日、僕が通勤中に初めてFIREを耳にした朝から5カ月と26日後、僕はいつものようにコロナド橋を渡っていた。だが、この日はオフィスに向かっているのではなかった。僕らはコロナドに永遠の別れを告げたのだ。

・
・
・

カルフォルニアを離れると決めるのに、ほとんど時間はかからなかった。正直に言うと、僕はだいぶ前から、カリフォルニアが〝夢の人生〟から〝長期的な目標の前に立ちはだかる障害〟に変わったように感じていた。とはいえ、ほかの街で暮らせば、（あらゆる意味で）はるかに豊かな生活が送れることがはっきりわかったのは、FIREを実践し始めてからだった。

ボートクラブを退会し、BMWを手放したあと、生活を大きく変えることへのためらいは消えた。僕らはクレイグリスト（Craiglist）やイーベイ（eBay）のようなネットオークションサイトで売れる物を家中探し回りながら、毎月ジョヴィーのナニーに払う２５００ドルを少しでも削る方法に知恵を絞り、月７００ドル節約できる託児所に切り替えることも考えた。そのあいだも、何度も同じ思いが頭に浮かんだ。コロナドは生活費がばか高い。どこか安いところに越して、生活費を一気に切り詰められれば、貯蓄率もぐんと上がるはずだ。

実を言うと、住居にかかる費用を減らそうとしたのはこれが初めてではなかった。カリフォルニアに引っ越してから数年後の２０１５年の初め、まだＦＩＲＥなどまったく知らなかった頃に、真剣に家を買おうと考えた時期があったのだ。当時、家の価格はどんどん上がるのに金利は最低水準に留まっているとあって、みんなに〝いまが買い時だ〟と口を揃えて勧められた。僕らは子どもが欲しかったが、いま借りているワンベッドルーム60平米のアパートは、夫婦ふたりの生活には申し分なくても子どもを育てるには狭すぎる。それに、大人になったら家を買うものじゃないか？　僕らもそろそろ〝平均的なアメリカの家族〟のやるべきことリストにある〝マイホーム購入〟の項目に、✓を入れてもいい頃だ。

そこで、コロナドで家探しを始めた。寝室がひとつの分譲マンションが70万ドル前後。僕らは比較的高給取りだが、頭金を貯めることはおろか、必要な額のローンなど組めそうもない（なんと、その額近くまでローンを組むのは可能だった！　もっとも可能だからといって限度いっぱい借りるのは間違いだと、その後知ったが）。コロナドでは、ほかの物件もすべて高い。

カールスバッドやエンシニタスといった近くの海辺の街でも、コンドミニアムは最低でも60万ドルはする。

「サンディエゴのもっと東に移ろうよ」僕はテイラーに言った。「コロナドから何キロか離れるだけで、だいぶ手頃な価格になるんじゃないか？」

ところが、この推測は大外れだった。僕らの希望価格の50万ドル以下だと、友人宅や海からだいぶ離れてしまううえに、通勤時間がかなり長くなる。僕らはすっかり意気消沈したが、やがて50万ドルの予算に近いタウンハウス（壁が接している集合住宅）を見つけた。しかも、不動産屋はビーチから徒歩圏にあると確約した。勇んで見に出かけると、その家は交通量の多い交差点にあり、ビーチに行くには6車線の高速道路の下を通らなくてはならなかった。インターネットが普及する前から張り替えていないカーペットに、これまた久しく塗り替えていないペンキ、パーティや飲み会の跡が生々しい居間。騒音も、交通量も、空気の質も、洗濯物の汚れ具合すら気にしない、独身のサーファー連中が住むような家だ。これが、50万ドルだって!?　僕らは大きなショックを受けた。

改装は自分たちでやることにして、オファーを出そうかとも考えたが……僕らが内覧した翌日、即金買いのオファーが5件もあったとかで、あきらめるしかなかった。その年だけで10件ばかりオファーを出し、しかもどれも言い値より高かったというのに、なんと結果は全敗。どうなるか試してみようと、戸建ての物件に思いきって68万ドルの値を申し出たこともあったが、あえなく空振(からぶ)りに終わった。そこで家の購入はあきらめ、その年にジョヴィーが生まれると、寝室が３室ある家を借りたのだった。

しかし、ＦＩＲＥを始めた僕らは、家の購入を再検討し始めた。何しろ、家賃に毎月３０００ドルも払っているのだ。永遠に自分のものにならない借家にそんな大金を払うのは、ばかばかしい。僕らは真剣に不動産サイトに目を通した。そして、これまでは住もうと思ったことが一度もないカリフォルニアの街や地域に対象を広げた。蛇口をひねれば水が出る、という条件だけは譲れないが、ほかのすべて——庭や広さ、治安、学校などは妥協した。そして、50万ドルから40万ドル以下に予算を下げた。二世帯用アパートを買って、一世帯分を貸すのはどうか？　余った部屋を誰かに貸すか民泊用に使ってもいい。それとも狭いコンドミニアムで我慢しようか？

ある日、何気なく故郷のアイオワ州を含むカルフォルニア州以外のエリアを見て、びっくり仰天した。安いとは思っていたが、ここまで安いとは。僕が育った町なら、寝室が４つある美しい戸建てが15万ドルも出せば買えるのだ。ＦＩＲＥブロガーたちの経験談が頭をよぎった。彼らは生活費の安い田舎や中西部の小さな町でＦＩＲＥを目指している——これは理に適(かな)っていた。大都会に住む大きな利点は、就職先がたくさんあることだが、経済的独立を果たせばこのメリットは必要ない。それにリモートワークが浸透したいまの時代は、生活費の安い地域に住んで大都会の高給を稼ぐのが昔よりずっと容易(たやす)い。僕は生活費がとくに安い場所を特集した記事のリンクを貼り付け、テイラーに送った。「どう、住みたそうな街がある?」

返事の代わりに、カリフォルニアにある40万ドルのみすぼらしいコンドミニアムのリンクが送られてきた。僕は、ほかの都市の40万で買える洒落(しゃれ)た戸建てのリンクを送ったが……BMWのときのように、家の購入は行き詰まった。テイラーは頑としてカリフォルニアから出たがらない。このままでは、みすぼらしい掘っ立て小屋を50万ドルで買うことになりそうだ。

FIREを目指すには、生活費の安い地域に住む必要があるのか?

この本を書き始めたときは、FIREを実現するには生活費の安い場所に住まなくてはならないと思っていたが、ありがたいことにその後、どこで暮らそうとFIREを達成できると実証する多くの人々に出会った。重要なのは、どう暮らすかだ。たしかに大都会に住めば、住居費やベビーシッターの出費は地方よりもはるかに高い。しかし、人気ブログ〈Frugalwoods〉でリズ・テムズが説明しているように、都会の生活には高い生活費を相殺する利点——充実した公共交通機関、徒歩の移動が可能、安い食料品、無料の娯楽など——がある。すべてがきみの優先順位しだいだ。

とはいえ、僕はまだ、生活費の高い地域で暮らせば、生活費の安い地域で暮らすよりもFIREを達成するのはずっと難しくなると思っている。しかも、新たに始めた倹約生活の邪魔をするコンサートや外食、高価な娯楽の誘惑を退けるのはかなりのストレスになる。僕らはコロナドに住むために大金を払っていたが、（ビーチに近い以外は）それに見合う利点があったとは思えない。なぜなら、僕らの仕事や家族、興味の対象は、ビーチとは関係がなかったからだ。だが、引っ越す金銭的余裕がなくても、リモートワークが無理でも、心配はいらない。どこに住もうと、FIREを目指すことは100パーセント可能だ。

僕がＦＩＲＥのドキュメンタリーを制作するという突拍子もないアイデアに取りつかれなければ、僕らはまだサンディエゴでコンドミニアムか戸建てを見つけようと悪戦苦闘していたにちがいない。２０１７年3月のある日、僕は壮大かつ大胆なアイデアを広めるのにドキュメンタリーがどれほど強力な方法かを電話で顧客に説明しながら、自分が影響を受けた作品のすべてを列挙していた。『ミニマリズム——本当に大切なもの——』（２０１６年／日本劇場未公開・Ｎ

ETFLIXにて配信)、『180°SOUTH/ワンエイティ・サウス』(2009年)、『不都合な真実』(2006年)……そして僕自身が2014年に『Inventing to Nowhere』(日本未公開)を制作したときの経験に話がおよんだとき、ふいに素晴らしいアイデアが浮かんだ。電話を切ったあと、僕は〝経済的独立のドキュメンタリー〟をグーグルし、「FIREに関するドキュメンタリー」というタイトルのスレッドをレディット(米オンライン掲示板)で見つけた。だが、そこで話題になっていたのは『ミニマリズム』と、インラインスケートを楽しむために仕事を辞めた医師を描いた短編『Slomo』(2013年・日本未公開)だけだった。ミニマリストな暮らしを実践するタイニーハウスや、老後資金の不足など似たようなテーマを扱ったドキュメンタリーはいくつかあるが、FIREムーブメントに特化したものはひとつもない。

これは実に意外だった。Mr.マネーマスタッシュのブログ読者は2300万人。経済的独立を目指すサブレディット(レディットのスレッド)には、これを書いている時点で40万近いユーザーがいることからしても、FIREムーブメントが注目を集めているのは間違いない。それなのに、FIREが持つメッセージを記録したドキュメンタリーがひとつもないのはどういうわけだ? とたんに、〝FIREに関するドキュメンタリーを制作し、監督したい〟という思いがむくむくと芽生えた。何と言っても、僕の本業は映像制作だ。国中を飛びまわり、自分が参考にしたブロガーたち、Mr.マネーマスタッシュ、Mad Fientist、Frugalwoods、ヴィッキー・

ロビンらにインタビューしているところが頭に浮かんだ。

だが、これが非現実的なアイデアであることはわかっていた。そして、その数週間後に義母のジャンとランチをしなければ、このドキュメンタリー制作案はたんなる想像の域を出なかったにちがいない。商才に長(た)け、起業でも成功してきたジャンとビールを飲みながら、僕は現状にどれほど閉塞感を覚えているか、人の下で働くことがどれほどいやで仕方がないかをつい愚痴っていた。

「どうしていまの仕事についたの？」

そう尋ねられ、僕は経緯を話して聞かせた。共同経営者が欠けて起業したビデオ制作会社が破綻し、安定した収入を確保するためにいまのエージェンシーで働かざるをえなかったことを。コロナドの生活費がばか高く、ジョヴィーが生まれたこともあって、その収入がなくては暮らしていけないのだ、と。しかし、〝成功した起業家〟という肩書きが自分のアイデンティティそのものであることを、僕は身に染みて感じ始めていた。その役割を失ったいま、自分が何者なのかを忘れそうになる。

突然、サンディエゴのダウンタウンにある混み合ったブルワリーの真ん中で、しかも義母が向かいに座っているというのに、涙がこみあげてきた。瞬(まばた)きしてそれを払おうとしたが、あとからあとから涙が出てくる。

「すごく惨めなんです」義母にそう打ち明けていた。健康な娘、順調な結婚生活、成長企業の上級職——傍(はた)から見れば恵まれた環境だが、実際は追い詰められて身動きがとれない。惨めな状況に陥ったのは自分のせい、自分でなんとかすべきなのもわかっている。しかし、僕には助言が必要だった。

ジャンはテーブル越しに僕の手首を優しく握った。

「ビールを飲んでしまいなさいな。お勘定は私が払うわ。それから少し散歩しましょう」

ジャンと歩きながら、僕はＦＩＲＥとの出会いについて話した。懸命にライフスタイルを変えようとしているのに、定期的に何かしら多額の出費がある。昔のもっとシンプルな、家族とゆっくり過ごせるストレスの少ない生活に戻りたい。思いついて以来頭を離れない、ＦＩＲＥのドキュメンタリーを監督・制作できたら、という話にも触れた。

やがてジャンは僕に向き合って言った。

「ねえ、スコット、いまの仕事を辞めてそのドキュメンタリーを作りたいんでしょう？　何を待ってるの？」

何を待っているかはわかっていた。許可を得たいのだ。テイラーに仕事を辞めたいと話すべき時が来た。

義母との会話をすべて話すと、テイラーは思ったほど驚かなかった。しばらく前から僕がうわの空で、元気がないのに気づいていたという。「会社をたたんでから、とても暗い顔をしていたもの」とあとで話してくれた。注意深く隠していたつもりなのに、どうやらすべてお見通しだったようだ。

「あなたが仕事を辞めてFIREのドキュメンタリー制作に取りかかることで幸せになれるなら、私はその決断に大賛成よ」

テイラーのこの言葉を聞いて、僕はしばらく前から考えていたことをさりげなく口にした。仕事を辞めたあと、カリフォルニアを離れて1年間あちこちを周らないか、と。僕がドキュメンタリーを撮影するあいだ、一家で友人や家族の家に滞在すれば、大きな支出である家賃とナニーへの支払いが節約できる（ジョヴィーの世話は僕と僕らの両親ができるから）。

「きみはリモートでいまの仕事を続ければいい。旅のどこかで、コロナドのように美しい、生活費の安い街が見つかるかもしれない」

僕がそう言うと、テイラーは1年間転々とすることにあまり乗り気ではなかったが、考えてみると答えた。

2週間ほど話し合ったあと、4月の後半に、僕らはジョヴィーを連れて自転車で公共プールに出かけた。〝水泳のレッスン〟——つまり、1歳半のジョヴィーを抱いてプールに入り、水しぶきをあげて遊ぶ娘を見守るのだ。完璧なカリフォルニアの春の朝だった。潮風を胸いっぱいに吸いこみながら、僕は何年も暮らし、愛するようになったコロナドの街を惚れ惚れと眺めた。このままここに留まるのも悪くないかもしれない。FIREの達成が少し遅れるかもしれないが、あまり気を揉まず、この気候を楽しんで暮らそうか。ちょうどそう思ったとき、テイラーが僕を振り向いた。

「この街を去る心の準備ができたと思うわ」

僕は自転車から転げ落ちそうになった。なんだって⁉　テイラーは、家族とこうして自転車で出かけ、リラックスした時間を過ごすことがどれほど楽しいかを考えていた、と言った。

「コロナドを出れば自由な時間が増えて、FIREまでの年数が少し短くなるなら、そうしましょうよ。私の仕事はどこにいてもできるわ。それにあなたはいまの仕事がいやでたまらないんだし。リモートで働きながら国中を旅すれば、かなりの出費が節約できるもの」

テイラーがカリフォルニアを出る決心をした理由は、BMWを手放す決心をしたときと同じで、そうすればFIRE達成までの時間が短くなるからだった。

僕は家に帰るとすぐに、友人や家族の家に滞在することを前提に——何度か短期でアパートを借りる費用も含め――1年間の支出の計算を始めた。テイラーが仕事を続け、僕がフリーランスの仕事を受けると仮定すれば、1年に5万ドルも節約できる！　これは僕らが5年かけて貯めた金額よりも多い！　新しい家を買う頭金にはじゅうぶんだ。

・
・
・

1年間にわたる旅にテイラーが同意すると、計画はすぐにできあがった。

僕らはじっくり腰を据え、旅のあとで住む理想の都市候補のリストを作成した。必須条件は、生活費が安いか手頃で、大きな空港が近くにある、日照時間が長い（温暖で湿気のない気候が望ましい）ことだった。人口が10万から25万程度、つまり、文化的で就職先がたくさんあり、発展が見込めるほど大きいが、人との繋がりが感じられるほど小さいこと。良い学校があり、車で30分も走れば様々なアウトドア・アクティビティが可能なこと。そして最後に、テイラーの仕事柄（時差の関係）、ミシシッピ州よりも西にあること。よく考えた末、僕らは候補地を4つに絞った。

オレゴン州ベンド

コロラド州フォートコリンズ
アイダホ州ボイシ
ワシントン州スポケーン

次は大家と話をつけなくてはならない。この家の契約は2年だが、借りてからまだ6カ月しか経（た）っていなかった。もしも契約を解除できなければ、旅に出る計画は考え直すしかない。なるべく動揺させないよう、どうやって説明するかを前もって考えてから、ワインを一杯どうかと大家を招き、今後の計画をすっかり説明した。FIREのこと、国内を周る旅とドキュメンタリーのこと、それが娘ともっと一緒に過ごせる最良の方法だと感じていることを。別の借家人を見つける手伝いをするし、できればいまより高い家賃を払う相手を見つける（僕らは格安で借りていることを知っていたから）と約束し、大家の出方を待った。快く同意してくれるだろうか？　それとも契約を解除することはできないと突っぱねるか？

嬉（うれ）しいことに、大家は借家契約よりもFIREに興味津々だった。そしていくつか質問をしたあと、こう言った。

「わかったわ、旅に出る必要があるのね。契約のことは心配しなくていいわよ」

まるで奇跡が起きたようだ。これはFIREの核となる理念がいかに強い共感を生むかを知った、最初（だが、最後ではない）の体験だった。自分の時間を取り戻したい、家族と過ごしたい、人生に意味を見出したい――こういう願いは、どんな経済状況にある人々の心にも響くのだ。

そのあと、寝る支度をしながらテイラーが言った。

「私たち、ほんとにこれから1年旅に出るのね」

大家の祝福を受け、すべてが一気に現実味を帯びてきた。ふたりでこの道を歩み始めたのは僕がＦＩＲＥに惚れ込んだせいだったから、テイラーには認めたくなかったが、本当はとても不安だった。僕らはこれまで多くの冒険をしてきたが、今度の冒険はこれまでとはまったく違う。サンディエゴは大好きな都市だ。何年もここで生活し、友人を作り、仕事のネットワークを築いてきた。娘が生まれたのもこの街だった。もしも1年間の旅がうまくいかなかったらどうする？　この旅が惨めな結果に終わり、ＦＩＲＥ計画まで頓挫してしまったら？

いよいよ、あとは出発の日を決めるだけになった。臆病風に吹かれるのが怖くて1日も早く出発したかったから、僕は5週間後の6月15日に出発しようと提案した。テイラーはそれでは早すぎる、きまりよく翌年の1月1日にしようという。1月までは、まだ8カ月もある。

「そんなに待てるかどうか自信がないな」僕は言った。「じっと待っているのはつらいし、出発を1カ月延ばせば、リタイアがその分先に延びるんだよ。もう決断したんだから、意気込みが冷めないうちに思いきって行動に移そうよ」
僕らは互いに歩み寄り、出発の日を2017年8月1日に決めた。

スコットとテイラーの旅の計画

1年にわたる旅では、ふたりの家族や友人を訪問し、新しい街を探索するだけでなく、楽しいことも含めたかった。1年もかけて国内を車で周るチャンスなど、そうめったに持てるものではない。住みたい街の候補地を真剣に探しながら、旅そのものも満喫したい。そのために、旅の計画はおおまかにして、その場の成り行きにまかせることにした。僕らが最初に立てた計画は次の通りだ。

2017年6月初め――ワシントン州スポケーンに住む友人を訪問
8月――サンディエゴに別れを告げる!
シアトルに行き、テイラーの実家に滞在。途中でベンドに立ち寄る
9月――家賃なしで、テイラーの実家に滞在

10月から12月――家賃なしで、アイオワのスコットの実家に滞在
10月――経済的独立を目指す人々の合宿に参加するためにエクアドルに行く
12月半ば――クリスマスをテイラーの両親と過ごすため、シアトルに戻る
2018年1月――アイダホ州ボイシで1カ月間アパートを借りる
2月――オレゴン州ベンドで1カ月間アパートを借りる
3月――コロラド州フォートコリンズで1カ月間アパートを借りる
4月から6月――ハワイで〝留守番〟を引き受ける
7月――新しい街でマイホームを買う

旅の計画を煮詰めるのに多少時間がかかったが、6月の初めには、友人に別れを告げ、借家を引き揚げる準備を残すだけになった。倹約生活と早期リタイアの計画を打ち明けたときの反応は人によって大きく異なることを、僕らはまもなく知ることになる。FIREを目指して1年間旅に出ることを聞いた友人たちは、ほとんどがとても好意的な反応を示した。が、なかには懐疑的な人々もいた。こんないい街を出ていくなんてどうかしていると思う人もいれば、オ

フィス勤めをやめてドキュメンタリー制作に取りかかる僕を羨む人々もいた。たしかに生活費の高い街に住みながら貯金を殖やすのは難しいとうなずく友人も多く、全員が旅の途中で泊まれる友人や親戚の情報をくれた。もちろん、知人のすべてがＦＩＲＥライフスタイルの実践に興味を抱いたわけではないが、彼らの応援は心強い。

　会社に辞表を提出すると、上司は週一の定例会議で、僕が辞めることと、辞める理由をチームのみんなに話すよう勧めてくれた。何人もの前に立って僕のドキュメンタリー・プロジェクトと、その動機となったＦＩＲＥの基本理念を説明するのは初めてとあって、かなり緊張した。中途半端な構想を実行するため仕事を辞めて家族ともども旅にでるなんて、きっと笑われるか呆れられるにちがいない。ところが、同僚や部下の反応はだいたいにおいて好意的だった。その数日後、女性の同僚が自分も会社を辞めて起業しようかと考えている、それを少しでも早く実行できるように倹約生活を実行するつもりだ、と打ち明けてくれた。

　荷物を片付けていると、これまでの生活がいかに過剰な消費に毒されていたかがよくわかった。ほんの1年前に買った物でも、寄付するか売って処分しなくてはならないものがたくさんあった。ガレージにはまだ値札がついたままの新品がいくつもある。どうして梯子が2つも必要だったのか？　ワインオープナーだって3個もいらないし、一度も使っていないマティーニ・グラスが8脚もある！　ジョヴィーのために買ったはいいが、使っていない物も多かった。これからはむやみに物を買うのはよそう。自分の時間とお金は本当に意味のあるものに使いたい。レンタル倉庫（生活規模を縮小する意気込みで、最小の５ｍ×２・４ｍ×２・４ｍサイズを借りた）に家具などを詰め込み、旅の必需品を車に乗せ、新居に落ち着いたら必要のないものは絶対に買わないぞ、と固く決意しながら、倉庫や車に入らないものは売るか友人たちに譲った。

出発の日が近づくにつれ、テイラーが次第に落ち着きをなくしていくのがわかった。カリフォルニアを離れるのがいやなのだ。

「この旅は人生最大の冒険だ。そう思って楽しもうよ。難しく考える必要はない。お互いの両親と楽しい時間を過ごしながら、新しい街との相性を試すだけだ。それで家を買う頭金が貯まるんだよ」

僕はそう言って妻の不安をなだめた。

■　■　■

急な出来事は引っ越しだけではなかった。ドキュメンタリーへの注目があれよあれよという間に膨れ上がったのだ。これは〈ChooseFI〉のポッドキャストを運営するジョナサンとブラッドに僕が残した留守電のせいだったかもしれない。

やあ。実は、僕の人生をすっかり変えたＦＩＲＥとそのコミュニティに関するドキュメンタリーを、１年ほどかけて制作したいと考えている。ＦＩＲＥには、国内、いや、世界中の人々の状況を変える力があると思う。

この留守電を聞いたふたりがポッドキャスト内でドキュメンタリーの話題に触れてくれたため、僕の受信トレイは一夜にしてＦＩＲＥを実践する人々からのメールでいっぱいになった。〝ドキュメンタリーの完成が待ちきれない〟、〝自分たちのエピソードや成功の秘訣を話したい〟という意見や申し出から、具体的な提案やアイデアまで記されていた。こうした反応により、ドキュメンタリー制作に思いがけず弾みがついたばかりか、僕と同じくらい熱烈にＦＩＲＥを支持する投資家をひとり確保できた。こうして僕は、ドキュメンタリーの準備に本腰を入れ始めた。撮影スタッフを確保し、予算と予定を立て、どんなふうに僕らの旅を〝語る〟かを決める必要がある。ＦＩＲＥコミュニティの人々に連絡を取り、インタビューを行い、彼らの協力を得なくてはならない。ドキュメンタリーに喜んで出演したい人、逆に注目を浴びるのはごめんだという人々もいた。きっとなんとかなると楽観してはいたが、完成まではまだ長い道のりだ。

紙の上では、僕らの計画は完璧に思える。１年間かけて国内各地を周るなんて、まぎれもなく一生に一度のチャンスだ。しかし、仕事を続けながらドキュメンタリーを撮影し、将来住む街を探して、貯金する——このすべてを、同時にやり遂げられるのか？　そもそも、頻繁に移動しながら２歳になる娘を育てていけるのだろうか。これまでの日課や、友人たち、快適な暮らしをあとにして、たとえ短期間にせよ家を出てから10年以上も経つのに両親と住んでうまくやれるかどうかも不安だった。この計画には楽しめる要素もたくさんあるとはいえ、もしもうまくいかなければ、テイラーは僕を責めるだろう。そう思うと心配でたまらなかった。もちろん、責められても仕方がない。ＦＩＲＥを知って以来、その実践を推し進めてきたのは僕なのだから。失敗すれば、すべての責任は僕にある。

■ ■ ■

サンディエゴで過ごす最後の夜、僕らはビーチで焚火(たきび)をして友人たちに別れを告げた。

この夜から撮影を開始するとあって、僕は荷造りを終わらせ、薪(たきぎ)を調達し、早めにビーチに到着してクルーを迎え、撮影準備を手伝うので朝から大忙しだった。最初のうちはカメラを向けられるとどうしてもぎこちなくなった。映像制作に携わって10年以上になるが、これまでは主に制作する側。このドキュメンタリーでは、基本的に自分とほかの人々をインタビューすることになる。予定しているショットが順調に撮れているかどうかに気を配りながら、カメラの前でできるだけ自然に振る舞わなくてはならない。僕ら夫婦の消費に対する罪悪感、住み慣れた街を離れる悲しみ、将来への不安がうまく収まっているだろうか？　作り話みたいに聞こえたらどうしよう？　友人たちはどう思っている？　気まずい思いをしていないか？　しかし、まもなく全員が話に加わって活発な意見が飛び交い始め、そうした心配は薄れ、カメラとクルーの存在も気にならなくなった。

撮影を終了したあと、僕は座ってビールを飲みながらカリフォルニアで出会った素晴らしい仲間たちを見回した。テイラーと結婚してからこれほど長く住んだのはコロナドが初めてだ。ここで結婚し、子どもを授かり、キャリアを築いた。ビーチに打ち寄せる波を眺めていると、ボートに乗り、サーフィンをし、泳いだ週末のすべてが思い出された。こんなに美しい街を見つけられるだろうか？　ここに匹敵する場所など、世界中探してもないような気がする。だが、明日はコロナドに別れを告げるのだ。不意にその現実がのしかかってきて、切なさと期待と不安がこみあげた。明日の朝、僕らはここを出ていく。転職のためでもなく、いままでと似たような生活を送るためでもない。まったく違う人生、どう表現していいかもわからない人生を始めるために。だが、これだけはわかっている。どれほど素晴らしい日々であったとしても、コロナドで送ってきた生活はこのまま続けるべきではない。未知の可能性に身をゆだね、どこに行きつくにせよ、そこで〝我が家〟を見つけて新しい人生を築いていけることを祈るしかないのだ。いまさら後戻りはできない。そんなことをしたら、あまりにも高くつきすぎる。その意味で僕らはまさしくリスクをおかしている（Playing With Fire）のだ。

テイラーの視点：コロナドとの別れ

コロナドを去るのは、本当につらかった。コロナドで娘を育て、老後を迎えると思っていたし――なんと言っても、この街は〝我が家〟だったから。車で走り去りながら、もうここには戻らないのだと思うと、胸が張り裂けそうだった。シアトルへ向かう最初の2日間はほとんどしゃべらなかったと思う。コロナドで知り合った素晴らしい友人たちのことが次々に思い出され、悲しくてたまらなかった。

これまでスコットと生活を一変させるときはいつも、悔やむことになるんじゃないかと心配したものだった。リノを出たときも、サンディエゴが好きになれなかったらどうしようと悩んだし、コンドミニアムを出て借家に移ったときは、こじんまりした居心地のいい住まいが恋しくなるかもしれないと不安になった。でも、いつも取り越し苦労に終わり、新しい環境に満足してきた。だからコロナド橋を最後に渡ったとき、自分にこう言い聞かせた。

「この先何が待ち受けているにせよ、いまよりずっと素晴らしい人生になることは間違いないわ！」

第7章
旅の始まり

CHAPTER 7 : THE JOURNEY BEGINS

「ここは地上の楽園ね」

ドレイク・パークの真ん中にあるミラー湖の畔(ほとり)を半分ほど周ったとき、テイラーがため息とともにそう言った。僕らがいるのはオレゴン州ベンドのダウンタウンだ。美しいポンデローサマツが真っ青な空へと伸びている静かな公園には、鳥のさえずりと、風が木の葉を鳴らす音、近くで遊ぶ子どもたちの声が聞こえるだけ。少し先には雪を頂く山頂が連なっている。

コロナドをあとにした僕らは、サンルイスオビスポ、ヒールズバーグ、アルカタ、クラマスフォールズを通過してきた。南カリフォルニアの高地砂漠の景色が北カリフォルニアの絶景に変わり、それから人里離れたオレゴンの深い森になって……シアトルのテイラーが生まれ育った町のひとつ前の立ち寄り先、僕らの住みたい街リストのトップにあるベンドに到着したのだった。

「まるで違う惑星にいるみたい……夢のようね」

テイラーの言うとおり、現実とは思えない。ＦＩＲＥのライフスタイルにぴったりの惑星に来たようだ。ベンドの街は実際、僕らの条件の大半を満たしている。近くには水辺（湖）と山だけでなく何キロにもわたる自然遊歩道もあるうえに、ここはフライフィッシングの本場で、なんと川でサーフィンもできる！　寝室が3つある立派な戸建てが35万ドル程度。学校のレベルも高い。空港からは主要7都市に直行便が出ていて、リサイクル用ごみ箱やソーラーパネルが至るところにあり、バンパーステッカーが〝ここはベンド。親切にしなさい〟と要求する平和な街だ。

以前のテイラーと僕は、キャリアの発展が見込める地域であることと、亜熱帯気候ややしの木、白い砂といった僕らの思い描く〝パラダイス〟であることを条件に、居住地候補を絞ってきた。コロナドでの暮らしがふつうだとみなしていたが、いま思えば、これはとんだ思い違いだった。実のところ、幸せな毎日を送るには、食料品を歩いて買いに行ける、必要な場所には自転車で行ける、近隣の住人が互いに助け合う地域に住むといった、ちょっとしたことが大きな違いを生むのだ。FIRE眼鏡を通して見たベンドの街は、ほぼ完璧に見えた。車にかかる費用を節約できる自転車道、娘が遊べる広い裏庭、安い車両保険、キャンプ場が近いこと、売上税ゼロ、無料コンサートやフェスティバル、毎週たつ農産物市——この街なら、貯金額が増えるだけでなく、幸せな暮らしが送れそうだ。

それから、友人がこんな情報をくれた。「実は、ベンドに住んでいる祖父母が1月から3月まで旅行に出るんだ。3カ月そっくり借りてくれれば、雀（すずめ）の涙ほどの家賃でいいそうだよ」と。このオファーを受けるとなると、旅行の日程から1月に訪れるボイシと3月に訪れるフォートコリンズを削らなくてはならない。せっかく候補に入れたのだから、少なくとも一度は訪れるべきじゃないか？　テイラーと話し合ったあと、ボイシはテイラーの実家から遠すぎるし、フォートコリンズは空港から遠すぎるという結論に達した。

「それに、思いがけなくどこかの街と恋に落ちたら、旅行の日程には固執しないと決めたでしょ？」

テイラーはそう言った。（ただ、最初に訪れた場所でそうなるとは思わなかったが！）。このひと言で、僕らは来年ベンドに戻って試しに3カ月住んでみることに決め、シアトルへと旅を続けた。

・
・
・

〝人生最大の過ちをおかした！〟と感じたくなったら、こうすることをお勧めする。まず生活をがらりと変えようと決め、生活費を半分に切り詰めて、理想の車もあきらめろと奥さんを説得し、仕事を辞めて、家族ともども１５００キロ以上の道のりを車でひた走り、義理の両親の家に転がり込むのだ！

　シアトルに近づくにつれ、ベンドの街で感じた喜びが消えていった。僕らの計画を義父母になんと説明すればいいんだ？　どう説明しても、娘はとんでもない男と結婚したと冷ややかな目で見られるにちがいない。たしかに、義母のジャンは仕事を辞めてドキュメンタリーを作れと勧めてくれたが、僕らが選んだ型破りなライフスタイルに義父母がどういう反応を示すか心配でたまらなかった。ふたりが自分たちの生き方を批判されていると感じたらどうしよう？　ＦＩＲＥのことを話したら、どんな反応を示すだろうか？

　案に相違して、ジャンとゲイリーは僕らを温かく迎えてくれた。コロナドの家を引き払う忙しさと、大きく生活を変える不安に苛（さいな）まれていたあととあって、〝我が家〟ではないにせよ、テイラーの実家に落ち着くことができて心からほっとした。ジャンとゲイリーは僕らの選択をイカれていると思ったかもしれないが、口には出さなかった。１週目はのんびり過ごしながら近況を語り合い、ジョヴィーとたっぷり一緒に過ごした。

　ＦＩＲＥの旅に出てから最初の２週間は、久しぶりにゆっくり過ごすことができた。年に何回か１週間の休暇をとり、目いっぱい楽しもうと予定を詰め込むのではなく、このリラックスした新しい生活スタイルがしばらくは〝ふつうの状態〟になるのだ。当分は仕事の予定はないから、ドキュメンタリー制作に関してじっくり考えられる。これまで何本もドキュメンタリーを作ってきた僕には、ひとつの映像を制作するのにどれほど時間と費用と綿密な計画が必要かはわかっていた。投資家がひとり見つかり、撮影も始めたとはいえ、行く手には気が遠くなるほどたくさんの仕事が待ち受けている。

ある晩、テイラーの子ども時代の親友、ジェニーとそのご主人のニックと食事をすることになり、FIREの話をしようと勇んで出かけた。というのも、ふたりの経済観念は僕らよりずっとしっかりしていて、FIREの原則に近い。それに、ふたりは昔から節約志向で将来の計画も完璧に立てていた。何度か一緒に週末旅行に出かけたことがあるが、ジェニーたちはどんな出費も必ず〝それは予算に含まれてる？〟と訊いてきた。当時の僕らはそれをケチ臭いと思って苛々したものだが、いまでは僕らもきちんと予算を立ててそれに従う、倹約魔になったのだ！

「あの頃気づいていれば、ジェニーたちからずいぶん学べたでしょうに」テイラーはそう言って笑った。「これは、私たちのお金に関する考え方がどんなに間違っていたかを、ふたりに認めるチャンスよ。これからは、お互い苛々することもないわね」

夕食のあと、「で、FIREってなんなんだい？」というニックの問いから「お金」の話が始まった。

テイラーと僕はざっとその基本原則について説明し、このライフスタイルが理に適っていると思う理由を話した。その夜いちばんの収穫は、テイラーがＦＩＲＥを熱心に勧めるのを聞いたことだった。コロナドを去ることを決断して以来、テイラーは僕のために無理をしているのではないか、心の底ではこの変化をいやがっているのではないかと気になっていたが、妻がＦＩＲＥの理念を完全に受け入れ、その計算式まで説明するのを聞くうちに、疑いが消えていった。

「で、これからどうするの？」

ジェニーの口調はいつものように控え目だったが、ＦＩＲＥに半信半疑なのはわかった。

僕らは行く手に待つ大冒険を話し、生活費の安い場所に移るというジオアービトラージを実践するのが支出を抑える重要な鍵だと説明した。これから２カ月ばかりテイラーの実家に滞在し、それから僕の実家にも２カ月ほど滞在し、その後（最初の計画を変更して）ベンドに戻り、将来住みたいかどうかを考えながら３カ月暮らしてみるつもりだ、と打ち明けた。

「そのジオアービトラージとやらには、実家にただで居候することが含まれているみたいだけど、それが経済的な独立とどう繋（つな）がるんだ？」

ニックにそう言われて、とたんに僕は言い訳がましい口調になった。ずっとただで居候するわけじゃないし、ジョヴィーにとってもしばらく実家に滞在して祖父母と一緒に過ごすのはいいことだ。家賃を払わずに４か月実家に住むのは、経済的独立とは関係がない。浮いた費用を貯金に回して、その貯えでコロナドよりも生活費が安い場所に家を買い、ＦＩＲＥの原則に沿った暮らし方を確立するのが狙いなのさ、と。

「でも、働かなくてすむようになったら、具体的には何をするつもりなの？」ジェニーが尋ねた。「わけがわからないわ……ＦＩＲＥってどういう人たちが実践してるの？　なんだか新興宗教みたいだけど」

僕らは愕然とした。ジェニーとニックなら絶対にＦＩＲＥを理解してくれると確信していた。それだけじゃない。説明を聞いたふたりが感激し、すぐにもＦＩＲＥを目指すかもしれないとさえ思っていたのに！　だが、ジェニーたちがＦＩＲＥの展望もその目的も胡散臭いと思っているのは明らかだ。僕らは急いで話題を変えたが、気づまりな雰囲気は別れを告げるまで続いた。帰りの車でテイラーがこぼした。

「私ったら、バカみたい。もう二度と誰にもＦＩＲＥの話をしたくないわ」

まったく同感だ。僕らにとってＦＩＲＥは完璧に合理的な考え方なのに……そう思わない人もいるのだ。

ジオアービトラージとは

ジオアービトラージとは、ティム・フェリスが口にして有名になった言葉で、地域もしくは国ごとの物価の違いを利用して収支をやり繰りする方法である。意識的にしろ無意識にしろ、実は大半の人々がこれを行っている。いまより大きな家を買うため地価の安い地域に移るとか、すべてが高いハワイではなくメキシコのビーチで休暇を過ごすというシンプルなケースもあれば、歯科治療のためにタイに行く（アメリカと比べて6000ドルも安い）、ペンシルベニア州の郊外に住みニューヨークの会社でテレワークをして（ニューヨーク基準の）高給を稼ぐ、ワシントンやフロリダなど所得税のない州や、オレゴンやモンタナなど売上税がない州に引っ越してその分貯金に回すのも一種のジオアービトラージだ。ジオアービトラージとは、同じ商品とサービスでもコストが地域によって異なる点を利用すること、と言えるかもしれない。

翌朝、ポッドキャスト〈ChooseFI〉で僕のドキュメンタリーのことを耳にはさんだというケイレンという女性からメールが届いた。この1年、ケイレンは恋人と一緒に全身全霊でＦＩＲＥを目指してきた。それぞれの車を売り、限度額いっぱいまで退職金口座へ積み立て、収入の65パーセントを貯金している（本章の終わりに掲載したケイレンの〈ＦＩＲＥ実践例〉を参照のこと）。彼女はこう書いていた。

「ずっと65歳まで働くものだとばかり思っていたけれど、その必要がないと気づいて人生が一変したの。私にとって、経済的独立を目指すのは、人生において本当に重要なものを知る方法のひとつよ。ミレニアル世代が抱えている鬱の一種も、これで解決できるはず」

そのとおりだ、と僕は思った。だから僕らはＦＩＲＥを目指しているんだ！　そうとも！〝ミレニアル世代が抱えている鬱の一種〟が正確にどういうものか、僕にはわかっていた。この世代の若者は、どんなに頑張っても返済できないように思えるほど高額の学生ローンの返済と不安定な就職事情を抱え、常に地球温暖化の脅威にさらされ、日和見主義の政治家が社会保障制度の民営化を唱えるなか、年金破綻の不安に苛まれている。鬱にならないほうが不思議なくらいだ。僕はこのメールをテイラーに読んで聞かせながら、こういう人たちと会えばいいんだ、と気づいた。すでに同じ道を歩み始めた人たち、僕らを応援してくれる人たちと。

とはいえ、ジェニーたちとの会話で、ＦＩＲＥを知らない人たちと話すときは慎重になるべし、と学んだ。それにこうも思った。ＦＩＲＥを否定するのは、自分たちが批判されていると感じるからなのか？　僕の意見に、大きな家に住み新車に乗っているせいで、僕らに軽蔑されていると思うのだろうか？　テイラーがすかさず「軽蔑してなんかいないわ！」と言った。「だって、少し前の私たちもそうだったんだもの！」そのとおり。だが、早期リタイアを目標にする考え方を誰もが好むわけではないことは、肝に銘じておくべきだ。起業家であることがアイデンティティの一部になっている僕のように、仕事のない人生など考えられないという人々は多い。相手が反発する理由はなんであれ、これからは自分たちの熱意を人に押しつけるのはよそう。ＦＩＲＥの話を持ち出すのは、興味を持っていることを確認してからがいい。明らかにこの話題は、僕らが思っていたよりずっとセンシティブなようだ。

・
・
・

シアトルの滞在には、１年におよぶＦＩＲＥの旅のなかでもスペシャルなイベントがふたつも含まれていた。ひとつ目は、ポッドキャスト〈ChooseFI〉で私の話を聞いたという、ＢＢＣワールドワイドの上席副社長、トラヴィス・シェイクスピアのメールから始まった。彼もＦＩＲＥを目指すひとり。オフィスはロサンゼルスにあるが、翌週出張でシアトルを通過するという。

「よかったらビールでも飲まないか。きみのプロジェクトについて聞きたいんだ」

このメッセージを見たとたん、僕の頭を様々な疑問がよぎった。どういう意味だ？　ＢＢＣが僕のドキュメンタリーに関心を持っているのか？　それとも、ＢＢＣですでに似たような企画が進行中なのだろうか？　答えを知るには誘いを受けるしかない。

僕らはシアトルの中華料理店で待ち合わせた。ふたりとも美味しいものに目がなく、映像制作という共通バックグラウンドを持つとあって、たちまち意気投合した。トラヴィスは人当たりのよい好奇心旺盛な好人物で、１時間もすると、何年も前から友人だったような気がしていた。まもなくトラヴィスは、実は、と打ち明けた。この２年、自分もＦＩＲＥに関するドキュメンタリーを作ろうと計画していたのだ、と。ポッドキャストできみのドキュメンタリーの企画が言及されるのを聞いたときは、もっと早く行動に移せばよかったと動揺したが、考えてみると、そうしなかったのは、自分にはこの企画を推し進める具体的なストーリーもなければ、応援したくなる〝ヒーロー〟もいなかったからだと気づいた。きみと奥さんの発見の旅は、視聴者にその旅路をリアルタイムで見せると同時に、ＦＩＲＥコミュニティを築いた先達やインフルエンサーを自然な形で紹介するのに理想的なストーリーだと思う、と彼は言った。

「しかし、きみの計画にはひとつ問題があると思うね。監督と主人公の二役を務めるのは無理だ。私にきみのドキュメンタリーの監督をやらせてもらえないか？」

　僕は言葉もなく彼を見つめた。ある意味では夢が叶ったような申し出だったが、何より恐れていたことでもあった。トラヴィスのような業界にコネを持つ経験豊かな監督を迎えれば、世間に大きな影響を与えるチャンスは格段に増す。トラヴィスが僕と手を組みたがっているという事実だけでも、このドキュメンタリーがいかに素晴らしいアイデアかという証拠だった。だが、彼が監督になれば、クリエイティブ面での最終決定権は彼が持つことになる。もっと重要なことに、これは本格的な共同事業になるが、トラヴィスはついさっき会ったばかりの人間だ。もしも約束を交わしたあとで、頭のぶっ飛んだ男だとわかったらどうなる？　あるいはドキュメンタリーの構想に関する２人の意見がまったく異なっていたら？　興味深い申し出だが、即答はできない、と僕は答えた。あまりにも急な話で頭がついていかず、僕は妻の実家に帰る途中でテイラーに電話をかけ、「驚いたな、まったく！　驚いた！」と繰り返した。

　翌日、僕はトラヴィスに電話をして、ぜひ一緒にやりたいと告げた。よく考えた末、ドキュメンタリー『Playing with FIRE』を監督したいというトラヴィスの申し出は、断るには惜しいと感じたのだ。思いきった決断だが、ドキュメンタリーを制作してＦＩＲＥをもっとたくさんの人々に広めるという任務を達成したいと真剣に思っているのなら、トラヴィスにはそれを実現させるビジョンがある。自分のエゴは押しやり、この企画にとって最良の決断を下さなくてはならない。

トラヴィスと僕はこのパートナーシップの詳細を練った（これにはBBCから書面による許可を得ることも含まれていた）。また、オンリー・トゥデイというポートランドの映像制作クルーを迎えることも決めた。レイとジッピーを含む制作クルーは古い友人で過去に何度か組んだこともあり、楽しく仕事ができる連中であることはわかっている。こうして、プライムタイム・エミー賞の受賞歴も多々ある彼らが、このドキュメンタリーのプロデュース作業、ロケーション・ハンティング、撮影、音声、DIT（もしくは映像素材の取り扱い）を含む撮影時の技術面すべてを担当することになった。これで最高品質の映像が期待できる。それに、レイたちがFIREの理念と、それが実践者の人生を改善する可能性に心から興味を持っていることも、大きなプラスになるはずだ。

▪　▪　▪

ふたつ目のハイライトは、『お金か人生か』の共著者であるヴィッキー・ロビンと会えたことだ。１９９２年に出版されたにもかかわらず、この本はいまだに大きな影響力を持ち、FIREを目指す者の必読書とされている。ヴィッキーはすでに30年以上もFIREを実践し、誰よりもその喜びや落とし穴を知り尽くしている女性だ。そんな彼女にすっかり魅せられていた僕は、ヴィッキーが太平洋岸北西部に住んでいると知って、旅に出る何週間か前に、FIREドキュメンタリーのインタビューに応じてほしいとメールで依頼したのだった。

シアトルにいるあいだに、ヴィッキーから返事が来た。嬉しいことに、彼女はインタビューの依頼を承諾し、シアトル近郊のウィッビー・アイランドの自宅に招待してくれた。僕は大急ぎで車に機材を積み込んだ。テイラーが「あなただけヴィッキーに会うなんてずるい！　私も行くわ」と言うのを聞いて、僕らは運命共同体なんだ、という気持ちを新たにした。「FIRE関連のリンクを貼り付けた僕のメールを無視してた頃から考えると、すごい進歩だな」と冗談で返したが、テイラーが一緒に来てくれるのは、とても心強かった。

テイラーと僕は撮影クルーとともに、シアトルの北にあるマカティオ・ターミナルでフェリーに乗り、地平線から突き出すオリンピック山脈を見ながらピュージェット湾を横切っていった。70代のヴィッキーは自信に満ちあふれていた。鷹のように鋭い目に大きな笑み。気さくで、一緒にいると楽しい気持ちになる（この旅の途中で出会うことになった多くの人々がそうだった）。

昼食をとりながらヴィッキーが自分の体験を話すあいだ、クルーがカメラを回した。いかにしてふつうの生活をやめ、まったく未知の人生を送ることになったのか？

「私はふつうの見返りとふつうの夫婦・友情関係のある、ふつうの人生を犠牲にして、誰も歩んだことのない人生を選んだの。大学を卒業したあと、学問に明け暮れるのも、成功を目指すのも、どこかの企業で上級職を目指すのも全部が無意味に思えた。だって、お湯を沸かす方法さえ知らなかったのよ！　どうやって生きていけばいいのかさえわからなかった。その先の人生に対して、まったく準備ができていなかったの。一心に勉強して専門職に就き、トップにのし上がって、一切を人にやってもらえるだけのお金を稼ぐ――そういう人生しか頭になかったんだもの」

ところが、大学を出た直後に少しばかり遺産を相続した。それでカナダの国債を購入し、その利回りで生涯不労所得を得る手筈を整えると、世界を周り、バスに住み、ユルト（訳註：モンゴル風テント）を建て、ウィスコンシン州の奥地でひと冬生き延びた。やがて恋人のジョー・ドミンゲスと財政枠組みについて教え始め、この知識をまとめた共著書『お金か人生か』が国際的なベストセラーになった。発売の1週間後、ヴィッキーが本の宣伝のためにオプラ・ウィンフリー・ショーに出演すると、オプラが視聴者にこう言った。

「読んだ人間の人生をがらっと変える可能性を秘めた素晴らしい本よ」

その翌日、『お金か人生か』は〈ニューヨーク・タイムズ〉紙のベストセラーリスト入りを果たし、〈ビジネスウィーク〉誌のベストセラーリストには5年間も留まった。最近出版された改訂版も高い評価を得ている。

テイラーと僕は、ただただ感心してヴィッキーの話に耳を傾けた。そして僕らがこの旅を始めた理由を改めて思い出し、芽生え始めていた不安が消えていった。急激な変化と折り合うのは簡単なことではない。つい忘れがちだが、ふたりとも1年前にはＦＩＲＥなど聞いたことさえなかった。そんな僕らが、ワシントン州にある小さな島でランチをしながら、経済的独立という概念に革命をもたらした人、ＦＩＲＥムーブメントの火付け役となった人物と話しているのだ！

テイラーは帰り支度をしながら、ＦＩＲＥを目指す大勢の人々を見てきたヴィッキーに助言を求めた。

「どんな落とし穴に気をつければいいのかしら？」

ヴィッキーは少し考えてから、こう答えた。

「自分が何をしたいのか、まずそれを知ることね。あなたにとって本当に大事なものは何？そして思いきって実際にそれをやってみる。経済的独立を目指すのは、崖っ縁に向かっていくようなものよ。縁に達する前に飛べるようにならないと、思いきってそこから翔ぶことはできないわ」

帰りのフェリーで、僕らはヴィッキーが言ったことを考えた。僕らは自分が何をしたいかを本当にわかっているのだろうか？　ふたりともわかっているつもりでいたが、具体的に言い表すことができなかった。僕はいまのプロジェクトが終わったら起業しようと漠然と思っていたが、本当にそれが一番したいことだろうか。本当に働き続けたいのか？　すでにじゅうぶんな収入があるなら、多くの時間を起業に注ぎ込む意味がどこにある？　同様に、テイラーも〝娘と家にいること〟が自分の目標ではないと、ヴィッキーとの会話で気づかされた。何年かはそれでいいかもしれない。でも、ジョヴィーが成長したあとは？　急いでＦＩＲＥを達成しようとするあまり、僕らは仕事をしない人生がどんなものかをじっくり考えてもいなかった。新しい家に落ち着いたら、本当にやりたいことは何かを考え始めよう。僕とテイラーはそう誓った。次の冒険に飛び込むのを恐れて、崖っ縁に立ち尽くすようなことにはなりたくない。

ＦＩＲＥは、ミレニアル世代特有の鬱の治療薬となるのか？

ＦＩＲＥ実践例
コロラド州エバンスのケイレンとカイル

◉基本データ
ＦＩ以前の仕事：自治体のマネージメント・アナリスト
現在の年齢：26歳
ＦＩ達成予定年齢：32歳
現在の年間支出：３万２０００ドル

自分にとってＦＩＲＥとは何か

65歳まで働かなくてもいいと気づいたことで人生が一変したわ。経済的独立を目指したことで、人生において何が重要かを知るきっかけになった。ともすれば圧倒されそうなこの混沌(こんとん)とした世の中で将来の見通しが持てるようになったのもそのおかげよ。ＦＩＲＥはミレニアル世代特有の鬱を晴らす特効薬の役目も果たしてくれた。大学を卒業して〝実社会〟に出たあと、この先何十年も9時から5時まで働く生活を前にして〝これが人生なの？〟と思ったときから始まった、鬱々とした気分を吹き飛ばしてくれたのよ。

FIREへの道

恋人のカイルと私がFIREを知ったのは、カイルのお母さんからMr.マネーマスタッシュやジェイエル・コリンズのブログの話を聞いたとき。何年もその種のブログを読んでいた彼女は、投資に関心を持ち始めた私を見て、ちょうどよいきっかけになると思ったのね。カイルはすでに自転車での移動を実践し、倹約もしていたけれど、投資で手持ちのお金を有効活用してはいなかった。私は自覚なしにお金を使ってしまうことが多かったわ。それが変わったのは、自分の放浪癖をカイルに説明しているとき。特定の仕事や場所に縛られるのがいやで、急に新しい街に行きたくなる衝動に駆られるタイプだという話をしていると、現実主義のカイルが理想主義の私にこう言ったの。「どこにそんな金があるんだい？」もっともな質問よね。でもこのとき初めて、お金イコール自由なんだということに気づいたの。

オンラインでFIREコミュニティを見つけたあと、私たちのライフスタイルは急激に変わった。支出を記録し始め、貯金に励み、税制優遇口座への積み立てに勤しんだ。2台あったトラックを売ったお金を課税対象の投資に回して、車はトヨタ・カムリ1台だけにした。車通勤もやめ、毎日楽しみながら歩いて職場に通ってるわ。

車を売るとか、退職貯蓄の積み立て額を最高額まで引き上げるという大きな決断には勇気が必要だったけれど、一度も悔やんだことはない。お金との関係は完全に変わったわ。何も考えずに必要のない物を山のように買って結局もてあますのではなく、お金は長期の目標を達成するためのツールだと考えるようになったの。目標はそのときどきで変化していくと思う。でも、価値観ががらりと変わり、意識してお金を使い始めた以上、もう以前みたいに浪費することはないでしょうね。

要約

✓ 2016年、支出の記録と投資を始め、IRA（アイラ）（訳注：拠出時非課税、給付時課税の個人退職年金）と401kを最高額にした。現在は収入の平均65パーセントを貯金に回している。

✓ カイルが2010年に買った家に住んでいる。

一番つらかったこと

この旅を始めたとき、私たちの年収はそれぞれ5万ドル弱だった。FIREコミュニティではもっと年収の高い人が多いから、肩身が狭かったわ。収入が標準か、それより低い人には、ＦＩＲＥ特有のやり方や助言の一部はあてはまらないけど、それは気にしないことにしたの。そして貯金と投資を始めると、みるみるお金が貯まり始めた。ＦＩＲＥは収入とは関係ない。ライフスタイルよ。経済的独立に興味があるなら、年収が低くてもあきらめないで、できるだけ貯金すること。それが成功の秘訣よ。

一番よかったこと

生活のなかで意識が変わったこと。キャリアや車、家などの〝他人から見た〟成功の象徴が自分たちには重要じゃないと気づいてから、たくさんの可能性に満ちた新しい世界が開けたの。突然、自分の時間が貴重に思え、その使い方にずっと慎重になった。なくても困らない物を買ったり、つかの間の楽しみにお金を使うのではなく、散歩や読書をしたり、ペットと遊んだり、友人や家族と過ごしたり――シンプルでお金のかからない楽しみに時間を使うようにしているわ。

私のアドバイス

物を増やさず、貯金に励むこと。自分にとっての成功とは何かをよく考えて。

第8章
インデックスファンドとは何か？

CHAPTER 8 : WHAT THE HECK IS AN INDEX FUND?

ヴィッキーと話したあと、僕らはこう思った。自分たちだけでFIREを達成することはできない。

目標に向かって邁進(まいしん)している人、すでに目標を達した人々の助けが必要だった。この〝助け〟には、役に立つアドバイスはもちろん、精神的な支えも含まれる。これまでの友だちに、いま一番の関心事であるFIREや倹約の話をすると、煙たがられ、胡散臭い目で見られることが多い。一方、FIREコミュニティの人々と話すときは、わくわくするし、やる気が湧いてくる。

さいわい、僕らはさらに素晴らしい出会いに恵まれた。旅に出ておよそ1カ月後、まだシアトルにいるあいだに、僕はピート・アデニー、通称Mr.マネーマスタッシュその人にメールを送った。彼は少し前に、故郷のコロラド州ロングモントでコワーキングスペース（共有型の作業場）をオープンすると発表していた。ドキュメンタリーにはピートにもぜひ出演してもらいたいと思っていたから、この新しい〝作業場〟のオープニング・イベントは絶好のチャンスになる。また、ピートだけでなく、彼のフォロワーである〝マスタッシュアン〟たちと知り合うチャンスでもあった。ピートにインタビューを了承してもらうため、僕は彼のブログ用にオープニング・イベントの模様を収めたプロモーション映像を作ると申し出た。ピートから同意の返事が来ると、僕たち一家の人生を（そうとは知らずに）永遠に変えた人物、新たに僕のヒーローとなったピート・アデニーに会うため、僕は撮影クルーとともにコロラドに飛んだ。

機内では、インタビューでなんと言おうか、さんざん頭をひねった。ポッドキャストでピートの話を聞いたわずか数か月後に仕事を辞めた話をすべきだろうか？　そんなことを言ったら、ぎょっとされないか？　ピートはどんな男だろう？　話しやすい好人物だといいが。話題に困ったらどうしよう？　まるでアイドルに会いたがるミーハーなファンみたいだが、まさか……違うよな？

Mr.マネーマスタッシュ・ワールド本部と名付けられた〝作業場〟は、ダウンタウンの中心にあるこれといった特徴のない建物だった。両隣には質屋とお洒落な石鹸や陶器を扱う店がある。建物のなかに入っていくと、梯子の上でドライバーを手に作業していた男が、こちらに向かって軽くうなずいた。僕は「あの、ピートに会いに来たんですが？」みたいなことをもごもごとつぶやいた。ただのピートでいいのか？　それとも、Mr.マネーマスタッシュと呼ぶべきだろうか？

突然、本人が部屋の角から顔を覗かせた。

「やあ、スコットだね」

僕は憧れの野球選手に会えた少年のようにどきどきしながら自己紹介をし、撮影クルーを紹介した。短い世間話のあと、ピートは隅にある箒を示して掃除を手伝ってくれと言い、自分はビール樽を取り付け始めた。

これまでもオープン記念パーティに出席し、〝大物〟著名人に会ったことは何度もあったが、ピートのイベントはそれとはまるで違っていた。偉そうにする者はひとりもいないし、予め用意された進行表もない。マネージャーもアシスタントも、広報係もなし。ピートには、僕を感心させる気も、僕に取り入る気もないのは明らかで、かといって僕を熱狂的ファンのようにあしらうこともなかった。彼は友人と地ビールを飲むために蛇口付きのビール樽を固定している40代の男――〝ただのピート〟だ。〝ここが、僕が探し求めていた人生を変えるインスピレーションの聖地か？〟そんな疑問が湧いてきた。〝僕はピートの提唱する「生き方」がどういうものだと思っていたんだ？〟

それから何時間かかけて、僕はパティオを掃き、椅子の汚れを洗い落とし、ピート手作りの書棚の埃を払った。彼が備えつけたばかりの樽システムから、地元のレフトハンド醸造所の美味しいピルスナーも自分で注いだ。そのあいだもクルーは、がら空きだった会場が大勢のマスタッシュアンで込み合っていく様子を撮影し続けた。手製の家具を置いた〝作業場〟には、ありとあらゆるバックグラウンドを持つ人々が集まっていた。しかもこのイベントは一品持ち寄りだったから、参加者は片手に自転車のヘルメットを、もう片方の手にキャセロールなどの器を持って入ってくる。彼らの話題もソーラーパネルを自分で取り付ける方法から、投資用不動産の計算式、テスラ・モデル３の情報、果ては着古した冬のコートを修復するコツまで、びっくりするぐらい多様だった。それに耳を傾けているうちに、心にあった不安は跡形もなく消えていた。この素晴らしい連中は、いったい何者なんだ⁉

僕自身もこの数か月、〝マスタッシュアン伝説〟にどっぷり浸ってきたのだから、ショックを受けるのはおかしいのかもしれない。だが、僕はものすごい衝撃を受けていた！　各々が計画的に人生と向き合っている話を聞くと、興奮を抑えきれなかった。集まった全員が、自分の時間の使い方を考え抜いている。どんな家に住めば最も幸せに感じるか？　出費に自分の価値観が反映されているか？　人生で一番大切なものは何か？　ピートの〝作業場〟にいるのは、ハッピーで友好的、楽観的な人々だった。

自身の地道な生き方に忠実に、ピートはその夜のイベントを長い演説や乾杯で始めようとはせず、ジョッキにビールを注ぎ、周りの仲間と話し始めた。同様に、閉会の挨拶もアナウンスもなかった。〝作業場ツアー〟をしたのかどうかも定かではない。気がつくと、自転車用のへルメットと空になった器を手に人々が出ていき、部屋のなかが徐々に静かになっていった。その夜、僕はやりたいことしかやらないというピートの一面を垣間見た（このときの印象は、その後も変わっていない）。どんなに説得しても、プレッシャーをかけ、おだてても、ピートにやりたくないことを無理強いすることはできない。著名な雑誌からインタビューの打診があっても、30ドルの神戸牛バーガーを買うときでも、唯一決め手となるのは〝自分がそうしたいかどうか〟だ。イベントに参加した彼の友人はこう言った。

「たとえ10万ドルの契約が待っていようと、息子がウォーターパークに行きたいと言えば、そっちを選ぶ男さ」

翌日、僕はＦＩＲＥに対する情熱を新たにしてシアトルへ戻った。コロラドのどこかに、僕のような新参者を手放しで迎えてくれる仲間たちが集う場所があるのだと、心のなかでにんまりしながら。

■　■　■

10月になると、僕らはテイラーの実家をあとにしてアイオワ州に飛び、ジョヴィーを僕の両親に預けてエクアドルに向かった。

ＦＩ（経済的独立）合宿に参加し、個人資産管理の分野に革命を起こした著名人たちと会うためである。

実は、ドキュメンタリー用のインタビューを撮るつもりで合宿に予約を入れたのだが、残念ながら、撮影クルーはほかの参加者の迷惑になるかもしれないという主催者側の意向で、この計画は断念せざるをえなかった。しかし、この合宿はＦＩＲＥコミュニティの人々と直に会える（外国旅行もできる）素晴らしいチャンスだった。この1カ月、テイラーは仕事で目がまわるほど忙しく、僕もフリーランスの仕事とドキュメンタリーの両立できりきり舞いだったから、仕事を忘れてゆっくりテイラーと過ごせる絶好の機会でもある。

２０１３年に〈jlcollinsnh.com〉のジェイエル・コリンズ（ブログの〝株シリーズ〟と著書『父が娘に伝える自由に生きるための30の投資の教え』［ダイヤモンド社 刊］により、ＦＩコミュニティでは有名人）が創設したＦＩ合宿はこれまで、エクアドル、イギリス、ギリシャで開催されてきた。ＦＩコミュニティの先駆者たちのもと、ブログ読者やポッドキャストのリスナーたちがディナーや小旅行などのアクティビティを楽しみながら、1週間みっちり人生や自由、幸福や投資について話す場を設けることが、この合宿の趣旨である。世界中から集まってくる参加者は、グーグルで働くマスタッシュアンや、ＦＩＲＥ体験をブログで綴る看護師とその夫、サンディエゴから来た夫婦、ドバイから来たチリ人など、実に多彩だ。

僕とテイラーに途方もない方向転換を決意させた〝FIRE実践者〟に囲まれるのはシュールな体験だった。講師陣もピート、ポーラ・パント（人気ブログとポッドキャスト〈Afford Anything〉の設立者）、チャド・カーソン（ブログ〈Coach Carson〉でおなじみの成功を収めた不動産投資者）、ブランドン・ガンチ（〈Mad Fientist〉のブロガーおよびポッドキャスター）など錚々（そうそう）たる顔ぶれだが、エクアドルで僕らの学びの要となるのは、ジェイエル・コリンズその人である。

・
・
・

FIREを知るまで、僕は怖くて投資には手が出せなかった。

安全確実な金銭管理しか頭にない両親のやり方を何の疑問も持たずに真似、投資の〝正しいやり方〟を学んでいる時間がない以上はやらないほうがいいと考えてきた。収入の1割を退職金口座に入れ、年に一度、預金残高を確認するだけ。株と債券の違いすらはっきり知らないのに、なぜか友人の大半よりはまともだと思い込んでいたし、起業してからは自分をこう納得させた。〝僕はビジネスに投資しているんだ。株の売買をするよりも自社の資産を増やすのが先だ〟と。

1年間に及ぶＦＩＲＥの旅のこの時点では、テイラーと僕にはすべての口座を合わせて21万6000ドルの蓄えができていた。現金で5万4000ドル（当座預金）、バンガード社の課税証券口座に2万3000ドル、そしてテイラーと僕がこれまで開いた6種類の（繰り延べ課税）個人退職金口座に13万9000ドル。この6種類を選んだ理由はとくになかったと思う。僕らは投資に関してはまったくの素人だった。

しかし、エクアドルでジェイエル・コリンズに会ってから、そのすべてが変わった。ＦＩＲＥコミュニティのインフルエンサーの多くは、〝専門〟を持っている。Mr.マネーマスタッシュは安い生活費で暮らす方法、Mad Fientistことブランドンは節税対策、投資と株に関する助言ならジェイエルに任せておけ、という具合に。ジェイエルのブログ〈The Simple path to wealth（富に至る簡単な道）〉には〝株シリーズ〟のコーナーがあって、投資と個人資産管理に関するアドバイスをまとめた30あまりの投稿が読めるばかりか、著書『父が娘に伝える自由に生きるための30の投資の教え』でも同様の助言が得られる。ブログでも著書でも、ジェイエルは楽しく読める文体で、投資をわかりやすく説明している。しかも、彼の言葉はすべて数十年にわたる経験とリサーチに裏打ちされているのだ。

ジェイエルによれば、ポートフォリオ（現金、預金、株式、債券、不動産など金融商品の一覧）や株のリサーチに何時間もかける必要はない。株の動きを見てそれを理解し、予測を立てる必要もない。簡単に富を得るには、収入よりも支出を減らし、残ったお金をインデックスファンドに投資するだけでいい。

きみが僕と似たような人間なら、誰かが〝インデックスファンドを使った資産運用〟などと口にしたら、黙ってうなずき、やり過ごすだろう。相手はこちらがわかっているという前提のもとに話しているのに、「ええと、インデックスファンドを使った資産運用ってなんですか？」と訊くのはあまりにも恥ずかしい。ＦＩＲＥをリサーチ中、僕は少なくとも４人にインデックスファンドを勧められた。合宿中もブランドン・ガンチが勧めてくれたが、自分がほとんど知らないことを認めたくなくて、いずれの場合も黙っていた。それを修復してくれたのはジェイエルだ。

ＦＩＲＥが承認する投資の基本

1・インデックスファンドは優れもの

コンピューター分析を用いて、株式市場全体の値動きと連動する複数の銘柄をひとまとめにして買う株式投資信託であるインデックスファンドなら、特定の株を買わずに投資できる。株について理解する必要もなければ、市場の動きの〝裏をかく〟必要もない。長期的および平均的に見ると、これまで株式市場全体は年間およそ10パーセント利回りが上昇してきた。したがって、市場の動きを反映するインデックスファンドも、おそらくは同様の上昇を期待できる。

手数料の安いインデックスファンドは、ＦＩＲＥ攻略法の中核となる。メインストリームのＦＩＲＥブログで一般的に受け入れられ、非常に人気の高い投資方法だが、その最大のファンはなんと言ってもウォーレン・バフェットだろう。世界最大の投資持株会社バークシャー・ハサウェイの会長兼ＣＥＯを務める、陽気で気さくなバフェットは、多くの人々に世界で最も優れた投資家とみなされ、世界長者番付の上位にほぼ常にランクインしている。30万人近い人々が働く大企業の最高経営責任者であるにもかかわらず、直属の部下はわずか25人。なんとコンピューターも持っていないという。1958年におよそ5万ドルで初めて買った家に住み、朝食はたいていマクドナルドですます彼のライフスタイルは、本人が言うように、自家用ジェット機を使うことを除けば、上流中産階級に属する平均的なアメリカ人の暮らし方とほぼ変わらない。

この数十年間、バフェットは一般の投資家に対しては一貫して、低コストのインデックスファンドを勧めてきた。つい最近も、一からやり直せるとしたら最初に貯まった100万ドルをどう投資するかと訊かれ、笑いながらこう答えている。

「手数料の安い、S&P500に連動するインデックスファンドに全額投資し、仕事に戻るね」

2014年のベストセラー、『世界の投資家は何を考えているのか：「黄金のポートフォリオ」のつくり方』〔三笠書房刊〕のなかで、著者アンソニー・ロビンスは、バフェットにたびたびインタビューを試みたが、すべて断られたと述べている。

「トニー、きみに手を貸したいのは山々だが、そのテーマに関してはすでに言い尽くしてしまったんだ」

「資金を守り、増やすのに、自分の家族にはどんな金融商品を勧めますか？」

トニーがそう食い下がると、バフェットはにこやかに告げた。

「インデックスファンドに投資しろ、それだけだな。投資信託の管理者に高い手数料を払わずにアメリカの主要企業に投資し続けるんだ。長い目で見れば、必ず勝てる」

投資したいが、まずどうすればいい？

これまで投資口座を作ったことがある人ならば、簡単に口座を作れることはわかっているだろう。しかし、作ったことがない人間や、僕のように口座を開設することに不安を感じているタイプは、つい先延ばしにしてしまう。まだ実際に投資を始める心の準備ができていないとしても、口座を開設するのは重要な第一歩だ。ここではバンガード口座の開設の仕方を記した。（訳註：2020年8月、米バンガード・グループは日本拠点での営業活動を段階的に終了し、日本支社を閉鎖することを発表した。ただし新規購入や保有商品の売却はもちろんのこと、つみたてNISA（少額投資非課税制度）やiDeCo（個人型確定拠出年金）を含む投信積立についても影響はないとのこと）

①〈personal.vanguard.com〉を開き、「アカウントを開く」をクリックする。すると「新しいアカウントを開く（アカウントを開始する）」と「ヴァンガードにアカウントまたはアセットを移動する（転送またはロールオーバーを開始する）」と表示されるので、ど

ちらかを選択すれば、次の段階に進める。

② 投資するファンドを選ぼう! ＦＩＲＥブロガーの大半はＶＴＳＡＸを推奨している。これは全米株式市場全体と連動したインデックスファンドだ。最低投資額は1万ドルだが、これとよく似たＶＴＳＭＸなら最低3000ドルから投資できる。最低投資額が設定されていない素晴らしいインデックスファンドもたくさんある。

2・資産運用会社やファンドマネージャーを通さない（通す場合は、手数料を予算に入れる）

市場の動きの裏をかこうとする試みは、統計的にうまくいかない。株の動きを読んで利益を上げられるのは、投資の専門家のわずか15パーセント。きみが手数料を払った相手がその15パーセントのひとりだという可能性は？——あまり高くない。

インデックスファンドならば、株式市場の裏をかこうと昼夜をたがわずせっせと働く大勢のポートフォリオ・マネージャー、分析家、株の仲買人を必要としないため、驚くほど手数料が安い。本書が校了した時点で、ＦＩＲＥコミュニティで大人気のバンガードのインデックスファンドＶＴＳＡＸの手数料は０・０４パーセントだった。一方、信託会社や銀行などが扱う投資信託の年間手数料は１パーセントから２パーセントだ。

僕はそれまで、投資信託の手数料を気にしたことはなかった。資金運用をする専門家に１～２パーセントの手数料を払うのはあたりまえに思えたからだ。しかし、ブラッド・バレットが〈ChooseFI〉で、この計算式について話すのを聞いて考えが変わった。ブラッドによれば、手数料の低いインデックスファンドに10万ドル投資し、手数料を０・０５パーセント、利回りを８パーセントとすると、40年で２１３万ドルになる。ところが資産運用会社などに１パーセントの手数料を払った場合、１４０万ドルにしかならない。手数料の低いインデックスファンドでできるのとまったく同じことをしている誰かさんに、63万ドル取られるからである。

では、なぜみんながインデックスファンドに投資しないのか？　僕にはわからない。案外、僕やテイラーのようにせっせと４０１ｋに貢献しているか、あるいは墓穴を掘っているとも知らず、資産運用管理者を雇うことが正しいと信じきっているのかもしれない。理由は何にせよ、ジェイエルが説明してくれたように、自分の資産は自分で運用するのが一番だ。

自分で資産運用をしたくない場合は？

初めのうち、僕らは自分たちで資産を運用したいかどうかわからなかった。共働きで、娘と過ごす時間をできるだけ大切にしたかったから、よけいにそんな時間はないと思ったのだ。「資産は運用したいが、自分でそれをするだけの処理能力もなければ興味もない」これはよく聞く言葉だ。ここで重要なのは一歩踏み出すこと。そして自分にどんな選択肢があるかを把握することである。いま口座を持っている銀行を通すとか、顧問料制アドバイザーを使うのが一番簡単で手っ取り早い方法だというなら、それでかまわない。その場合にかかるコストを把握し、自分のライフスタイルの価値感に基づいて選択しているかぎり、計画的な投資に至る正しい道を歩んでいると言えるだろう。

3・複利ほど素晴らしいものはない

インデックスファンドと同じで、僕は複利についても基本的な事柄しか理解していなかっ

投資期間	最初の元金10万ドルを10パーセントの単利で運用した場合	最初の元金10万ドルを10パーセントの複利で運用した場合
1年目	11万ドル	11万ドル
3年目	13万ドル	13万3,100ドル
5年目	15万ドル	16万1,051ドル
10年目	20万ドル	25万9,374ドル
20年目	30万ドル	67万2,749ドル

た。複利が銀行預金にどんな意味を持つかをじゅうぶん知らずに、知ったかぶりをしてうなずいていたのだが、ジェイエルと話して初めてその原理がわかった。

基本的に、利息が利息を生むのが複利だ。言葉を変えれば、投資によって得た収益を使わずにそっくり元金に加えると、それがさらなる収益を生んでくれる。10パーセントの利回りで10万ドル投資すれば、1年後には収益は1万ドル。それをそのまま元金に加えると元金は11万ドルになるから、翌年の収益は1万1000ドルとなり、それも元金に加えれば、全部で12万1000ドルとなるわけだ。そして長期的には、その差は上の図のようになる。

資本が利息を生み、その利息がさらなる利息（複利）を生み、さらにその複利が利息を生み……20年もすると、単利と複利による収益には大きな差が生じるのだ。

・ ・ ・

ジェイエルと話したあと、テイラーとぼくは合宿施設の中央にある庭を散歩しながら、それぞれの投資に関する知識について話し合った。

テイラーは投資について父親から教わったという。テイラーの父ゲイリーは、借金の怖さを娘の頭に植えつけ、投資については「預けて、忘れてしまう」のが一番だと娘に教えた。まっとうなアドバイスだ！　僕の家では、投資が話題になったことなど一度もなかった。僕が知っていたのは、財布の紐は母が握っていたことだけだ。テイラーも僕も、「クレジットカードの負債を抱えてはいけない。お金が余ったら401kに入れておけば大丈夫」と教えられ、それに従った。その結果……僕らはわずかな額を401kに入れ、積立額をときどき確認するだけ。そうやって10年以上もたいした収益を得ることもなく資金を寝かせてきたのだった。

今後、それをどう改善すればいいのか？

僕は家を買うのはあきらめ、いますぐインデックスファンドに手持ちの5万ドルを注ぎ込むべきだという気がした。だが、その一方で5万ドルをビジネスに投資し、そこから利益を生み出すほうが、ずっと幸せを感じるだろうとも思った。

テイラーはこう言った。

「ＦＩＲＥを目指していて何がつらいって、ＢＭＷをあきらめた、実家に居候中、外食をやめたというマイナスの部分は身に染みて感じるけど、純資産が増えた、現金も増えたというプラスの部分はほとんどぴんとこないことね。目に見えるのは、コンピューターの画面の数字だけだもの」

とりあえず、僕らは手持ちの金融資産を３つに分けることにした。33パーセントをインデックスファンドに、33パーセントを不動産に、33パーセントを起業に投資する。その後数か月にわたって、僕らはこの計画について、ときにふたりで、ときにほかの人々を交えて、何度も話し合い、再考した。その過程で、ＦＩＲＥを目指す人々の大半が投資方法を絶えず再検討していることがわかった。ブランドン・ガンチは不動産で苦い経験をしたあと、主にインデックスファンドに投資していると話してくれた。逆に、不動産に詳しいポーラ・パントは、純資産の大部分が不動産であることにまったく不安を感じないと言う。ウィッビー・アイランドで会ったヴィッキー・ロビンは、地元の少額融資を通して、自分の富でほかの人たちの富を生み出している（もちろん、収入を確保したうえで）。ヴィッキーの話を聞いたときは（いまでも）、計画的な投資家にとっては、善い行いをする機会がいくらでもあるのだと驚いたものだ。

テイラーの視点：投資の話！

ＦＩＲＥを目指す前は、投資の話は片手で数えられるくらいしかしなかったと思う。考えもしなかったの。新しい仕事に就くたびに４０１ｋに登録し、適当な企業年金を選んでおしまい。二度とそのことは考えなかった。ずっとそんな調子で過ごしてきたことを考えると、自分でも驚いてしまう。友人や家族が預貯金をどう扱っているかまったく知らなかった。そのせいで、信じられないくらい損をしていたなんて思いもしなかったわ。それがいまは、聞く耳のある人には誰彼かまわず投資の話をしている。自分のお金がどう運用されているかをきちんと把握しておくのは、とくに女性には重要なことだと思う。娘には自分の資産を運用できる知識を身に着け、大いに自信を持ってほしいわね。

次に、僕らは不動産投資について学ぶことにした。合宿の講師には、サウスカロライナから来た不動産投資の専門家で、ブログ〈Coach Carson〉を運営するチャド・カーソンも含まれていた。チャドとは不動産、彼の人生哲学、それに好きなスポーツの話で盛りあがった。不動産に投資するのは賢い方法か？　不動産投資は安全か？　まったくの素人にはどんなアドバイスをする？――などの質問にも、彼は喜んで答えてくれた。

チャドは自分がどういう経緯で不動産投資を始めたかも話してくれた。なんと大学にいるときから、自宅を手放したい売り手や、現金払いであれば相場より安値でも承知する売り手を、戸別訪問で探したのだという。首尾よく売買の約束を取り付けては不動産投資家に持ち込み、少額のマージンを稼いでいるうちに、ついに自分で投資物件を買う資金が貯まった。いまでは、地元の町に夫婦合わせて90軒以上の不動産を所有している。

「つい最近、子どもたちがスペイン語を学べるよう、１年間エクアドルに住むことに決めたんだ」

チャドはそう言った。

成功の秘訣（ひけつ）を尋ねると、即座に答えが返ってきた。

「倹約と忍耐、それに常に学ぼうとする姿勢だな」

彼は昔から収入よりも出費の少ない生活を送ってきた。１年に50件以上も不動産取引をこなし、10万ドルをゆうに越える収入がありながら、古いトヨタにずっと乗り続けている。２００８年の不景気を生き延びられたのは、この節約志向のおかげ。倹約していればこそ、手元には常に現金があり、うまみのある取引が急に浮上してもそれを逃さずにすむ。

チャドの車の話を聞いて、マツダのことがまた頭に浮かんだ。正直言って僕は何年も、あのマツダを夢の車ではなく妥協の産物だと思ってきた。しかし、いま考えると、貴重な資産流用を妨げていた贅沢でしかない。余分なお金があれば、投資の機会はいくらでもある。そう思うと、サンルーフや最新鋭のナビシステムや本革シートの魅力もあっという間に色褪せた。

これまで僕は素晴らしく頭の切れる、大胆な起業家にたくさん会ってきた。彼らは大それた計画を恐れず、世界を変えるようなすごい企画のためなら喜んでリスクをおかす。エネルギッシュに自分のビジョンを語るそうした起業家の話を聞くのは昔から好きだった。だからチャドに深い絆を感じたのも意外ではない。僕はチャドに敬服し、彼を理解できるような気がした。チャドも僕と同じで人に使われるのが嫌いなタイプだ。そういう人間は、自分の好きなことをするしかない。

たくさんの起業家たちと知り合ううちに、ＦＩＲＥを目指す起業家とそうでない起業家のあいだには大きな隔たりがあることに気づいた。前者は経済的独立に至る途中（さもなければ、すでにそれを達成している）で、倹約がスーパーパワーだ。高い貯蓄率と現実的な資産運用で両賭けをしているから、リスクを恐れない。彼らを見ていると、自分がＦＩＲＥに惹かれた理由がわかった。要するに僕は、生活費の心配をせずに、起業家とクリエイティブなプロジェクトのいいところ取りをしたいのだ。経済的な心配がなければ、どんな作品を作れるだろうか？　その答えはわからないが、そう思うだけでわくわくした。

・　・　・

とはいえ、合宿に参加中はずっとこの疑問に悩まされていた。たしかに僕はいま人生が一転するような経験をしている。しかし、ここで得ている情報なら、１セントも払わずにすべてインターネットで手に入る。大金を払ってはるばるエクアドルまで来る必要が本当にあったのか？

実際、僕らが家族や友人にエクアドルの合宿に参加すると告げると、全員が同じ反応を示した。

〝何千ドルも払って倹約のコツを学ぶ合宿に参加する、だって？　それのどこが倹約なんだ？カルト教団か何かに入るつもりか？〟

もっともな疑問だ。僕にはみんなが納得するような答えは思いつかなかった。ＦＩＲＥを目指している夫婦が、なぜその知識を深めるために大金を使うのか？　それにこの合宿を組織した人々の目的はなんだ？　参加者に大金を使わせるのは、経済的自由を満喫する人生から、彼らを逆に遠ざけていることにならないか？

　合宿の講師たちは、みな自分たちの経験をブログで語っている。僕はエクアドルに着く前にそのほとんどに目を通していた。彼らと会うことにどんな違いがある？　むしろ彼らの助言に従って、1日も早くＦＩＲＥを達成するために節約すべきじゃないか？

　しかし、合宿が終わる頃には、エクアドルに来た意味、実際にこの場にいる意義がわかり始めていた。ウェブサイトの情報は山ほど読んだが、僕はまだじゅうぶんにＦＩＲＥという概念を消化していなかった。そして、この合宿を通して、自分が必要以上に複雑に考えていたことがわかった。一対一のガイダンスを受けなければ、それに気づかなかっただろう。このガイダンスでは、講師が僕らの具体的な状況を聞き、〝収入よりも少ない生活費で暮らし、差額を投資する〟というモデルの単純さを説明し、適切なアドバイスをしてくれた。そのおかげで、自分たちのやり方が最初から〝正しかった〟ことがわかり、このまま努力を続ければ、必ずＦＩＲＥにたどりつけるとお墨付きをもらうことができた。

　もうひとつわかったことがある。同じくＦＩＲＥの旅をしている人々に出会うことも、成否を握る鍵のひとつだ。たしかに〝倹約し、経済的独立を果たす〟のが、ＦＩＲＥの柱だが、同時に、より穏やかで、思慮深い、自主的な人生を送ることの大切さも忘れてはならない。僕が合宿で会った講師たちはみなそういう人生を送っている。そのひとりであるポーラ・パントの

ＦＩＲＥの旅はたいへん興味深かった。コロラド州ボルダーで新聞記者をしていたポーラは、世界中を周り、アトランタに不動産を買って、ブロガーとして大成功を収めた。「なんでも手に入るけど、あらゆるものを手に入れるのは無理」がモットーだと言うポーラは、会ってみると、これまで会った人々のなかでも群を抜いて落ち着きがあり、集中力の高い女性だった。あまり口数は多くないが、いったん口を開くとその低い声はたちまち部屋中の注目を集める。ある午後、エクアドルの首都であるキトで、僕はポーラと並んでゴンドラ・リフトに乗り、高所恐怖症だと説明していた（もっとも、壁にしがみつき、過呼吸になる寸前だったから、説明するまでもなかったかもしれない）。

するとポーラがこう言った。

「不安や恐怖を鎮めたいとき、私はこう自分に言い聞かせるの。自分には何ひとつコントロールできないんだって。それを受け入れれば、気が楽になるわ」

実際、ポーラの落ち着いた声を聞いているだけでも気分がよくなった。それにしても、すごい発言じゃないか？　資金管理の教祖にして有名な不動産投資家が、「何ひとつコントロールできない」ことを受け入れるとは。目標達成のために最善の選択をしたら、あとは運を天に任せ成り行きを見守るのが彼女のやり方……そうか！　この合宿に集まったＦＩＲＥの専門家たちはたんに金融の知識（マネーハック）を講義しているだけではない。〝これが計画的に生きることだ〟と身を持って示しているのだ。自らが模範となって、ＦＩＲＥコミュニティを導いている。それを目の当たりにしたことは、テイラーと僕の信念をさらに強めてくれた。

以前の僕らは惜しげもなく休暇に５０００ドル使っていた。実際、アイオワ州へ戻る機内で、テイラーと僕は過去のすべての休暇を思い返し、今回の旅ほど実りある経験をしたことは一度もないね、とうなずき合った。ジップライン（訳註：架け渡されたワイヤーロープを滑車で滑り降りる遊び）を体験するためニュージーランドへ、あるいはビーチでのんびりするためにセント・トーマス島へ。僕らはいつも楽しく刺激的な休暇を過ごしてきたが、今回ほど深い意味、目的、人との繋がりを経験したことはなかった。エクアドルで行われた合宿では、とりわけ知識を豊かにしてくれる会話ができただけでなく、相手と深い繋がりを感じられる楽しい時間を過ごせた。

僕らは合宿に行く前の予想がいかに的外れだったかも笑い合った。大会議室の蛍光灯のもと、パワーポイントを使ったプレゼンが続く〝金融会議〟だと予想して、スーツケースにノートやペンまで詰めたのだ（結局、部屋に置きっぱなしで使わずに終わった）。また参加者が話題にするのは、投資戦略と「お金」のことだけだとも思っていたが、そうではなかった。たしかに前述のとおり、投資や純資産、貯蓄率、支出を減らす様々な戦略も話題になったが、それよりも人と人の繋がりや、何が人生に喜びをもたらすか、ＦＩＲＥコミュニティに関する会話のほうが多く、僕らは心からそれを楽しんだ。

エクアドルのＦＩＲＥコミュニティを立ち去るのは悲しかった。そこでは、天気や政治、リアリティ番組の話題の合間に、銀行の預金残高を打ち明けるのがごく自然なことだったし、ローンを組んで車を購入するとか、ボーナスで新しいテレビを買う話を、みんながばかばかしいと笑い飛ばした。ほとんど知らない人々に自分の純資産や財政状況を話すのは何とも言えない解放感があった。

これを読んでいる人たちにも、ぜひお勧めしたい。話す理由が、早期リタイア（会話のきっかけとしては珍しいはず）という単純明快でわくわくする計画のためならば、なお良いだろう。

テイラーと僕はまた、倹約生活を送りながらも、異なる生き方をする友人たちと疎遠にならずにすむ方法を探っていく必要があると気づいた。僕らは、他人の経済的選択や優先順位を批判するつもりはない。ＦＩＲＥはたんに僕ら自身の決断と優先順位の指針であり判断基準で、自分たちの人生を熟考し、上手にコントロールするひとつの手段にすぎないのだ。エクアドルをあとにしながら、テイラーと僕は、自分たちの感覚や価値観に合うライフスタイル、アイオワ州の僕の実家で待っている幼い娘とたっぷり一緒に過ごせるライフスタイルを作っていこう、と決意を新たにした。僕らが冒険に乗り出したそもそもの理由は、娘の成長を見守るためなのだから。

第9章

ＦＩＲＥの〝学び〟

CHAPTER 9 : GETTING SCHOOLED IN FIRE

アイオワの実家に戻ってから2週間もすると、別のチャンスが舞い込んできた。

エクアドルの合宿で知り合ったFIREブロガーたちが、世界でも最大規模のパーソナルファイナンス（個人資産管理）会議、FinConに出席するというのだ。1000人以上のブロガー、ライター、講演者、ポッドキャストのホスト、個人資産管理の専門家が参加するFinConの今回の開催地は、テキサス州ダラス。撮影クルーを伴えば、ドキュメンタリーにぴったりのインタビューを予算内で何本も撮れるにちがいない。

そこで僕らは娘にもう一度別れを告げ、ダラスへと飛んだ。コロラドやエクアドル、ダラスへの旅行はすべて重要だった。だが、移動続きでほとんど休む間もないとあって疲れているせいか、コロナドの我が家のポーチでのんびりコーヒーを飲みながら家族と過ごした日曜の朝が恋しくなることもあった。

それはさておき、おなじみの顔ぶれが揃っていることを除けば、FinConはFI合宿とはまったく違い、巨大なコンベンション・センターで開催される典型的な会議だ。イベントの初日、〈ChooseFI〉のブラッドとジョナサンに誘われて会場を回っていると、ふたりのファンが次々にやってきて、「〈ChooseFI〉のおかげで人生が変わった！」と嬉しそうに告げていった。FinConの主催者フィリップ・テイラーは僕にこう言った。

「FIREは間違いなく、いま一番話題になっているトピックだね」

そのとおりだ。僕はこのムーブメントの一部であることが誇らしかった。エクアドルでポーラ・パントと出会ってからほんの数週間しか経っていないのに、基調講演の準備をする彼女と一緒にいるなんて信じられない！　ポーラはこう言った。

「重要なのは聴衆が聞きたいことではなく、自分の思いを届けることよ。人の記憶に留まるのは、本心から出た言葉だけだもの」

これは、僕の状況にもあてはまる。会った人たちがみなドキュメンタリー制作に賛成というわけではなく、FIREをどう紹介すべきか、どう紹介してはまずいか、それぞれが確固とした意見を持っていた。しかし最終的には、僕自身にとってしっくりくる方法で視聴者に伝えることが何よりも大事なのだ。

FinConにおける僕個人のハイライトは、FIREムーブメントで非常に影響力のある人々が参加するラウンドテーブル（訳註：自由に意見を交換し合う円卓会議）を催したことだった。〈1500 Days to Freedom〉のカール・ジェンセン、〈Millenial Money〉のグラント・サバティエ、〈Frugalwoods〉のリズ・テムズ、〈Our Next Life〉のターニャ・ヘスター、〈Mad Fientist〉のブランドン・ガンチ、〈Get Rich Slowly〉のJD・ロスという豪華な顔ぶれが、まずひとりずつFIREを始めた経緯を話していった。カールは、僕と同じようにMr.マネーマスタッシュのブログを見つけたことがきっかけで、がらりと人生が変わったという。ターニャは『How to Retire Early（早期退職を実現するために）』という本を見つけ、それを人生の設計図にしたと語った。そして6人全員が、数字が苦手でもFIREを目指せることを強調した。計算式は簡単――難しいのはライフスタイルを変えることだ。

そこから、話題は〝特権〟に移った。〝早期退職などほぼ実行不可能な夢物語だ〟と多くの人々が感じる世の中で、FIREについて話し合うことは、どういう意味を持つのか。リズは、たくさんの人々がFIREを考慮に入れることさえできないのは、社会構造に組み込まれた障害のせいだと指摘した。

「年をとるまで金銭管理の知識がなければ、あるいは一生知らなければ、FIREを目指せるはずがないわ」

〝お金オタク〟のこの6人が、FIREムーブメントの核について哲学的な議論を交わす場に居合わせたのは、貴重な経験となった。僕は鳥肌が立つのを感じながら、自分がFIREコミュニティの一部であること、ドキュメンタリーを通してこの議論を多くの人々に伝えられることを感謝した。

ダラスで得たもうひとつの収穫は、エクアドルですっかり意気投合したブランドンと会えたことだ。ＦｉｎＣｏｎで彼にインタビューしたあと、僕らが泊まっているエアビーアンドビー（Airbnb）で一緒にコーヒーを飲もうとブランドンを誘った。ブランドンは税法や退職貯蓄制度、投資戦略に関する最新の研究情報をブログに載せている。僕らの大雑把な計算を見てもらい、ＦＩＲＥ達成に向けた計画をもっと具体化できれば、と思ったのだ。

ブランドンからもらったアドバイスは以下のとおりだ。

支出削減の基本：Mad Fientistのアドバイス

Mad Fientistことブランドンはまず、ＦＩＲＥのコンセプトがいかに単純明快かを強調した。詳細に執着しないことが大切だ、と。もちろん詳細を軽んじてはいけないが、肝心なのは、収入より支出を少なくして余った分を投資する、という基本ルールを守ることだ。では、支出を減らす一番効果的な方法は？　車や家など額の大きい出費に集中するのだ。

1・収入より支出を少なくせよ

ＦＩＲＥでは、貯金と投資に関して混乱しがちだ。投資と聞くと圧倒されてしまい、本当に大切なこと、つまり貯金することを忘れてしまう。貯金しているかぎり、ＦＩＲＥに近づいているのは間違いない。そしてＦＩＲＥで鍵となるのは、いかに多くを、もしくはいかに早く貯金できるかだ。つまり、投資の種類よりも、可能なかぎりの貯蓄をできるだけ短期間で成し遂げることのほうがずっと重要になる。ブランドンによれば、具体的には、テイラーと僕が収入の50〜70パーセントを貯蓄すれば、口座に寝かせておいても、最終的にはＦＩＲＥを達成できる。投資をするなと言うわけではないが、貯蓄することそのものが重要だと彼は念を押した。

それから1年間にわたる僕らの〝ＦＩＲＥの旅〟の予算をチェックし、なかなかいい、と褒めてくれた。予定では、旅のあいだ毎月の支出額は４２００ドル（コロナドでの支出と比べると、なんと55パーセント減）だが、ブランドンいわく、もっと節約できる方法はありそうだという。それから、新しく落ち着いた街でもこの支出を維持し、現在と同程度の収入を得られれば、比較的簡単に収入の50〜60パーセントの貯蓄率を達成できるはずだ、というアドバイスもしてくれた。

僕らはこの数か月で貯金をかなり増やしていた。旅に出たとき2万ドルだった現金は、３カ月間しっかり節約したおかげで5万4000ドルになっている。ブランドンは、それで1年間の旅の出費がすべてカバーできると、さりげなく指摘した。5万4000ドルを12（か月）で割ると、月4500ドル。これはわずかだが僕らの予算よりも多い。だからといって出費を増やすつもりはないが、僕は指摘された事実に目が覚める思いだった。まるまる1年仕事を休み、この現金で旅の費用を賄うこともできるのだ。稼ぐそばから使っていたときとは正反対だ！　人生最高額の貯金――これはFIREが有益だという大きな〝証拠〟ではないか。そのとき僕は、大人になってから初めて、言いようのない解放感を覚えた。その解放感は、いまも続いている。

2・余った分を投資せよ

なぜ投資が大切かと言うと、基本的にFIREの成否を握る鍵は、お金のために働くのではなく、お金に働いてもらうことだからだ。銀行口座にお金を寝かせておくだけでは、実際は目減りしている。なぜか？　ほとんどの銀行口座の利息率よりも、物価の上昇率のほうが高いからだ。同額を株に投資すれば、資産価値を増やすことができる。

たとえば僕らの場合は、現金を持ちすぎている。5万4000ドルが預金口座にあれば気分はいいかもしれないが、僕らの当座預金の利息率は0・1パーセント以下。貯まった現金の一部を、5〜10パーセントの利息が付く金融商品に投資すべきだ。

そう、これこそまさにFIREのアップダウンだ。〝やった、現金がいっぱいあるぞ！〟と大喜びしたのもつかの間、〝インフレで価値が下がった……〟とがっかりすることになる。それを避けるために、いますぐ賢く投資しよう。

僕らが多額の預金を投資しないで寝かせていた理由は3つあった。①株は高いから怖いと警戒心を抱いていたのと、2017年は前例になく上げ相場が続いていたから。②マイホーム購入のための頭金を貯めていたから。③不動産投資用の物件購入に興味があったから、である。

ブランドンは、リスクや株の値段を心配するのは時間の無駄だと説明した。歴史的に見て株式市場は長期的に上昇していくのだから、株を購入して、長く持っていればいい。短期的な価格の上下によって株を売り買いする、あるいは市場の頃合いを計ろうとするのは、避けなければならない投資の失敗である。

「頃合いを見計らって何がまずいんだい？」僕はそう訊いてみた。

「損をするからさ」

ブランドンによると、選択肢はふたつある。適当な日にちを決めて一度に全額投資するか、定期的（たとえば1か月ごと）に少しずつ投資するかだ。ひとつ目は統計的にリターンが大きいが、僕ら新米投資家にとってはふたつ目（ドル・コスト平均法と呼ばれる）のほうが安全に思えたから、準備ができたら、まず3000ドル投資することにした。これだとVTSAXの最低投資金額の1万ドルには満たないため、最低額が3000ドルの似たようなファンド、VTSMXを選んだ（投資可能額が3000ドル以下の場合は、最低投資金額が設定されていないVTIをチェックしてみるといい。こちらもFIREコミュニティのお墨付きだ）。

ドル・コスト平均法とは

ドル・コスト平均法とは、株価に関係なく、定期的かつ継続的に一定額の金融商品を購入する投資手法である。長期的に見ると株価の上下が平均化され、損をするリスクが最小化される。この戦略に関して賛成意見、反対意見は多々あるが、この手法はテイラーと僕が投資に対して抱いていた抵抗感を乗り越えるきっかけとなった。僕らは1年かけて3000ドルずつ投資することにした。1万ドルに達したら、バンガードが自動的にVTSAXに移し替えてくれる。

ブランドンは、家の購入を視野に入れるのは現金を手元に貯めるもっともな（かつ必要な）理由だと同意し、賃貸収入を得るために不動産投資用の物件を購入するのも良い投資法になりうると言った。

退職後資金の早期引き出し

ブランドンは、FIREを目指し始めてからずっと僕の頭にあった疑問にも答えてくれた。59・5歳まで手を付けられないのになぜ退職年金基金に多額の積み立てをしなければならないのか？　この分野のリサーチにかなり時間をかけてきた彼はこう言った。

「こうした退職年金プランには税制優遇措置があるんだ。しかもペナルティを課されずに年金を引き出す方法も複数ある」

最も人気があるのは、401kなどの課税繰り延べ退職年金基金からIRAに移し、課税なしで引き出す、Rothコンバージョン・ラダーと呼ばれる方法だ。ほかには、通常10パーセントの早期引き出しペナルティを払わずに退職前に定額を引き出すことができる、IRS（アメリカ合衆国内国歳入庁）に認定されたRule72（t）というやり方もある。（この場合、ペナルティは課されないものの引出し時に課税される）。

3・車と住居の予算を再考せよ

ダラスでは、まだ車をリースしているのかと、ブランドンに呆れられてしまった。そう、僕の2016年式のマツダである。軽率な消費者だと思われたくなくて、僕はすぐに言い訳した。月250ドルのリース料を（3年間）払い、その後1万2300ドル（リースが終わったあとの推定価値1万3000ドルより安値！）で購入できる、まさに超格安の契約なんだ、と。

ブランドンはあっさりこの言い分を却下した。

「2000ドルほどペナルティをとられても、すぐにリース契約を解除して、5000ドルくらいの車を現金買いしたほうがいい」

従来通りの〝賢い〟お金の使い方と、FIREのライフスタイルを実践する大きな違いがここにある。僕はこの格安リース契約をとても自慢に思っていたし、家族や友人もお得だと同意していた。

だが、ブランドンはこう指摘した。リース契約が終わって購入する時点で1万3000ドルの価値はなくなっているうえに、毎月250ドルを3年間支払うのは、完済を先延ばしにしているだけで、実質的には新車を購入しているのと同じことだ。車は償却資産だから、僕のマツダは日ごとに価値を失っていく。結局のところ、徐々に価値が下がっていく車に2万ドル以上払うことになり、しかも最終的にその車の価値はもとの3分の1か4分の1まで下がる。FIREを実践するならば、支出のすべてが自分の益にならなくてはならないのに、償却資産はその逆――時間とともに価値も価格も下がっていく。では、償却資産には何が含まれるのか。ダイヤのジュエリーからボート、電気製品、車まで高価な物のほとんどが、資産価値が徐々に減っていく償却資産に入る。

「でも、運転するかぎり、車の価値が下がるのは仕方がないんじゃないか？　どこに行くにも車は必要なんだから」

僕の問いに、ブランドンは次のように説明した。車を償却資産にする必要はない。少なくとも、そこまで急激に価値の下がる買い方をする必要はない！　車を購入するさいの最適な値段は5000ドル前後。ある程度価値が下がったあと、中古車の値落ち率は緩やかになる。つまり、およそ5000ドルで走行距離およそ16万キロ以内の信頼性の高い中古車を購入するのが最も経済的ということになる。そして運転する頻度を減らせば、その後10年は乗り続けられるだろう。

「1万ドルの車を買ったらどうなるの？」

テイラーが訴えるような口調で言った。何か月も前にお別れをしたBMWの柔らかい本革シートを思い浮かべているにちがいない。

ブランドンは頑として言った。

「いや、5000ドルが限度だね」

最後に、借家と持ち家のプラス面とマイナス面についてもブランドンに相談してみた。これは最安のオプションを選べばいいという単純な問題ではない。ベンドでは、寝室が3つある家をおよそ月2000ドルの家賃で借りられる。同じような家を購入するとなると40万ドル。どちらが経済的かを判断するためには、細かく計算しなければならない。というのも、住宅ローンや利子、家の価値などは、地域によって違うからだ。たとえばコロナドでは寝室が3つある家を購入しようと思えば100万ドルはくだらないから、借家に住むのが唯一合理的な選択だった。ベンドでは、その差はきわどい。〈ニューヨーク・タイムズ〉紙のウェブサイトに掲載されている〝買うか借りるか〟の無料計算式を利用し、ブランドンは僕らの疑問に答えを出してくれた。この計算式によると、月１５１７ドル以下で家を借りられれば、40万ドルの家を30年ローンで買うより得だという結果が出た。だが、ベンドで月２０００ドル以上の家賃を払うなら（おそらくそれくらいになるはずだ）、同じサイズの家を40万で購入するほうが得になる。

ブランドンはまた、自身のライフスタイルと長期的な計画も考慮しなければならないと強調した。終の棲家を購入してこの街で骨を埋めようと決意したのなら、予算に合う場合は購入すべきである。しかし、持ち家の維持を面倒だと思う、あるいは数年で引っ越すつもりなら、計算式の結果がどうであれ、借家のほうがいい。

テイラーと僕はどちらも〝自分たちの家〟が欲しかった。それが、そもそもコロナドを出た理由のひとつでもある。そこで、落ち着く場所が決まったらすぐに頭金を払えるように、現金５万４０００ドルは手元に残しておくことに決めた。ブランドンはこの決断に賛成したものの、家の購入に関して気が変わったらすぐにその一部を投資すべきだと忠告した。銀行口座に寝かせておく時間が長いほど、株式市場で利益を上げるチャンスは減っていくのだから。

ハリケーン・カトリーナがきっかけで経済的独立を決意

FIRE実践例

ワシントン州シアトル在住のシルヴィア

◉基本データ

FI以前の仕事：法廷弁護士
現在の年齢：38歳
FIを達成した年齢：32歳
現在の年間支出：2万ドル

自分にとってFIREとは何か

２００５年にニューオーリンズで法科を卒業し、法律事務所から仕事のオファーをもらって間もなく、ハリケーン・カトリーナが襲来した。警報が発令されると、私は着替え一式と犬だけを連れて家を出た。働き始める予定だった法律事務所は壊滅的な被害を受け、雇用するのは半年先になると言ってきた。その1週間後、市の条例により、賃貸契約を解除したければ3日以内にアパートを立ち退くことと大家から通達され、車に荷物を積めるだけ積んで、必要のないものは全部捨てた。ハリケーン・カトリーナは、物にはなんの意味もないこと、持ち物が一瞬で失われる可能性があることを教えてくれたの。

FIREへの道

もともと倹約するタイプだったけれど、学生ローンに関してはまったく考えていなかった。法科を卒業したときは10万ドルも借金があって、パニックになったわ。それから、できることはなんでもしてなるべく早く返済しようと決め、昼間は弁護士として働き、夜間や週末はドミノ・ピザの配達をしてお金を稼いだ。弁護士として私を知っている人たちにピザを届けたこともあった。そのピザ配達の給料で生活し、弁護士の給料はまるまる学生ローンの返済に回した。順調に昇進して収入が上がっても、節約生活は続けた。給料が上がっても支出を抑えること――これが早期リタイアの秘訣ね。

経済的に独立した独身女性というのは、なかなか大変よ。すてきなレストランでの食事やデートに無駄遣いしたくないから、恋人との付き合い方にも大きな影響が出る。それに、夫になるかもしれない人には自然と判断基準が厳しくなるの。付き合う相手にはクレジットカードの負債がないか、浪費癖がないかと目を光らせているわ。

要約

✓　2012年、100万ドルの資産とともに経済的独立を達成。
✓　食費は月50ドル。住まいはシアトルの38平米のコンドミニアム。
✓　小さな法律事務所を持ち、現役で働いている。

一番つらかったこと

スケジュールも、締切も、予定表もまったくない人生を過大評価していたと思う。いまでもまだ働いている理由の一部はそれよ。ときどき、経済的独立に憧れて努力しているときのほうが、達成してからよりも幸せだったんじゃないかと思うこともあるわ。

一番よかったこと

自分の欲しいものをはっきり伝える自信ができたことね。ノーという答えが返ってきても、私のライフスタイルには影響がないとわかっているから。おかげで、以前より大胆に自己主張できるようになったわ。たとえば、退職して個人事業主になる決断をしたのもそのひとつ。以前働いていた法律事務所では、所得税を収めたあとで401kに積み立てをするのを認めてもらえなかったし、HSA（税優遇のある医療用貯蓄口座）も作れなかったから、思いきって辞めたの。経済的独立を達成していなければ、そのリスクは負えなかったでしょうね。

私のアドバイス

他人と自分を比べないこと。自分の目標が何かを見極めること。その目標が〝○歳で退職する〟でなくてもかまわない。周囲の雑音は全部無視して、目標をどうやって達成するかを自分自身で決めることが大切よ。

第10章
家族と節約

CHAPTER 10 : FAMILY AND FRUGALITY

最初にアイオワ州の実家に着いたとき、僕は心の準備ができていなかったことに気づいた。

仕事を辞めて海辺の暮らしをあきらめ、自分が育った小さな町の小さな子ども部屋で、妻と娘の隣で目覚める……これが憧れのＦＩＲＥか？　ちっとも魅力的じゃない。僕はそう思った。

アイオワ州ベルビューは、ミズーリ川沿いにある、きれいでこじんまりした〝感じのいい町〟だ。石灰岩の崖、緩やかにうねる丘陵、何キロも続くトウモロコシ畑。ベルビューの人口２１００人のうち、おそらく少なくとも２５０人とは、何らかの形で血が繋がっているにちがいない。つまり人口の10パーセントは〝親戚〟だ！　両親はふたりともベルビュー生まれだが、父が海軍に勤めていたから、サンディエゴ（僕が生まれた場所）、ハワイ、プエルトリコ、東海岸に住み、アイオワには僕が高校に入る年に戻ってきた。その頃の僕は、各地を転々とする生活にすっかり慣れた、刺激を求める早口の13歳の少年だった。ベルビューは、僕がそれまで住んできた場所とはまったく違った。学校では「引っ越しばかりの生活は大変だったんじゃない？」と訊かれたが、僕にはそれがふつうだったから、こう返した。

「同じ場所でずっと育つのは大変じゃない？」

個人的には、何年かごとに心機一転、友だちや楽しい思い出を作っていく変化に満ちた生活がとても気に入っていた。そしていま、大人になってベルビューに何か月か滞在するために戻ってきた僕は、人生最大のカルチャーショックに直面していた。

引っ越しを繰り返した子ども時代の影響か、僕と故郷の町との関係は複雑だった。たまに訪れて家族と一緒に過ごすのは楽しいし、子ども時代の家で1週間のんびりするのもいい（しかも娘が生まれてからは、両親が孫と遊ぶのを見られる）。それに、世界のどこかに自分の居場所があると感じられるのは嬉しかった。とはいえ、海軍基地を転々として育った僕は根っからの放浪者だ。実家で2週間も過ごすと、刺激に満ちた冒険や、大都市の暮らしが恋しくてじっとしていられなくなった。

それなのに今回、人生最大かつ最も大胆な冒険である〝FIREの旅〟で、実家に戻るのは、少し皮肉な感じがした。両親は、僕ら夫婦の考え方ががらりと変わったことや、新しい質素なライフスタイルを受け入れてくれる――願わくば喜んでくれる――だろうか？　エクアドルとダラスの旅のあと、テイラーと僕はFIREに関して人に話すことに抵抗がなくなっていた。もしかしたら、浪費を控え、貯金を増やし、人生にとって意味のある決断を下すというFIREの基本理念に、両親も興味を持ってくれるかもしれない。そんなことを考えながら、僕は、朝の9時から夕方の5時まで働かざるをえない人々にＦＩＲＥという贈り物を配る自分の姿まで妄想した。まったく、どれだけ無知だったことか……。

・　・　・

10月後半のある日、僕らは、いとこのジャレッドと友だちのエリックをカードゲームに招いた。やがて、テイラーと僕がアイオワに何をしに来たのかという話になり、僕は幸せを掴むために倹約生活を送ることにしたんだ、とコロナドの家を引き払った理由を説明した。人は高価な物や経験に大金を使うが、実際に幸せを感じるのは、大切な人と一緒に過ごすといったお金のかからない楽しみだ。ＦＩＲＥを目指せば、貯蓄率を高めて投資に回せる。そして将来的に、自分の好きなことに時間を使えるんだ、と。

　この時点で、僕はいったん言葉を切った。一気に喋（しゃべ）りすぎたかもしれない。ジャレッドたちの生き方を批判していると思われてもいやだし、シアトルでジェニーを怒らせたみたいに、ふたりの神経を逆撫（さかな）でしたくなかった。

　すると、ジャレッドがきょとんとした顔で僕を見た。

「でもさ、それはほとんどの人がやってることじゃないか？」

「そのとおり」僕はうなずいた。「ほとんどの人々が貯金せず、浪費してるんだ」

「そうじゃなくて……稼いだ金より使う金を減らして貯金するのはふつうだろ？」

僕はぽかんと口を開けた。ジャレッドとエリックをびっくりさせてやろうと思っていたのに、ふたりはまるで僕が空は青いと言ったみたいな顔をしている。

そう言えば……ジャレッドはすでに倹約生活を送っている。彼にとってはそれが〝ふつう〟なのだ。車のローンはとっくに払い終わっているし、自宅を建てるときにはコスト節約のために手伝っていた。それに収入の大部分を貯金に回している。仕事が好きだから辞めるつもりはないし、壮大な計画もない。倹約生活が彼にとっては理に適（かな）っているだけだ。エリックもうなずき、給料の一部は必ず貯金していると言った。

「ほとんど性能は変わらないのに、高額のローンを組んで見た目のいい車を買う意味なんてないだろ」

ふたりの言うとおり、この節約志向は、ほぼすべての出費（住居、ガス、医療費、食料品など）が大都市と比べてずっと安いベルビューでは、ごく自然なライフスタイルなのだ。

帰りの車のなかで、ふたりがどんな会話をしたのかは想像に難（かた）くない。ＦＩＲＥ＝倹約ではないが、「〝天才スコット〟が、俺たちがとっくに知っている人生の秘訣（ひけつ）を見つけたって、大騒ぎしてるぜ！」と笑い転げたにちがいない。

その夜ベッドに入ってから、僕は非常に重大な事実に気づいた。自分の生き方を見つけるために家を出たが、途中で迷子になってしまったのだ、と。大学を卒業してアイオワをあとにしたとき、僕はすべてを自分の目で見て、経験し、どんな誘いやチャンスも逃すまいと思った。そして10年間、いくつもの都市で暮らし、さんざん浪費したあと、僕は家族が最初から知っていたこと、〝倹約は自由の一種だ〟という真実を学ぶためにアイオワに戻ってきたのだ。これは、僕が家族から受け継いだはずの価値観だ。僕は質素と幸福を重んじる一家に育ったのに、それを忘れてしまった——いや、最初から気づいていなかったのかもしれない。

この意外な発見は、恥ずかしくもあり、また心を安らかにもしてくれた。ひょっとすると、運命は本当に存在するのかもしれない。僕の倹しい意見では、中西部の人々が人懐っこいという評判を得ているのには理由がある（もちろん、ほかにもそういう評判の地域はあるが）。ここでは、贅沢品や分不相応の高い車をむやみに買う人々は少ない。彼らは、人との繋がりや、家族、友人たちなど、人生で最も大切なものに価値を置いている。農村社会やベルビューの町の価値観やライフスタイルは、多くの意味で、ＦＩＲＥの実用主義、素朴な価値感、分別のある倹約精神に沿っていたことに初めて気づき、自分がアイオワ州出身であることを心から誇りに思った。

その後まもなく、11月初めに、僕はいとこのチャッキーと彼のボートで釣りに出た。アイオワにしばらく滞在することを決めてから、ずっと楽しみにしていた予定である。同い年のうえ誕生日も2カ月しか違わないこともあってチャッキーとは親友のように仲が良く、歳を重ねるにつれ友情も深まっていった。

　高校卒業後、チャッキーと僕は別の道に進んだ。僕は4年制の大学に進み、リベラルアーツ（一般教養課程）を修めた。チャッキーは2年制の職業訓練校に進み、電気工事士になった。当時僕は、当然、学位を取った自分のほうが将来は成功すると思っていたが、大人になって初めて、自分がいかに世間知らずだったかを思い知った。チャッキーは僕が2年分よけいに学生ローンの負債を増やしているあいだに、卒業して稼ぎ始め、キャリアを築いていった。10年後のいま、彼の純資産のほうがずっと多いのは明らかだ。とはいっても、ＦＩＲＥを目指し始めた僕の意見では、チャッキーは家族と過ごす時間を犠牲にして働いているし、少し前の僕同様、不要な贅沢品を買う習慣も身に着けていた。好奇心旺盛なチャッキーのことだ、ＦＩＲＥの枠組みに大きな興味を示すのではないか？　それに、仕事より釣りをしていたいタイプなのはたしかだ。

　朝早く、僕らはミシシッピ川のロックアンドダム№12で待ち合わせた。新品のボートはとても美しかった――快適なシートに、釣り竿ホルダー、最新のＧＰＳ機能付きのトローリング（訳註：船を走らせながらルアーで魚を誘う釣法）用のモーターまで装備されている。このモーターがあれば、よく釣れる位置に留まっていられるのだ。釣り糸を結ぶか結ばないうちに、チャッキーが「いったい何をしてるんだ?」と尋ねてきた。仕事を辞め、2カ月ばかり実家に滞在することになっているのはチャッキーも知っているが、詳しい理由や、FIREのことは話していなかった。僕は、ふたりの仲がぎくしゃくしたらどうしようと(そういう結果に終わったことが何度もあったから)ためらいながらも、FIREやドキュメンタリー制作、新たに落ち着く街を探していること、10年ほどで経済的に独立して仕事を辞める長期的な計画も打ち明けた。

チャッキーは反発こそしなかったが、混乱していた。

「良さそうなアイデアだと思うけど……おれはもう実践しているような気がするな。せっせと働いてまともな給料を稼ぎ、けっこうな額を地元の資産管理人に任せて投資してる。どれくらい貯(た)まっているかわからないが、かなりの額だ」チャッキーはそう言ってから、尋ねた。「FIREに必要な手段をすでに講じてるってことは、おれも65歳まで働かなくてもすむのか?」

「もちろんさ」僕は答えた。なんと、チャッキーのほうが僕よりFIRE達成に近いとは!

「必要ないのに65歳まで働くなんて、ばかげてる」

「おれは無駄な物を買わないし、トラックのローンはもう返済済みだ。家のローンもあと10年で終わる。負債もほとんどない」チャッキーは続けた。

しかし、そのすべてがどう早期リタイアに繋がるかを説明するのはひと苦労だった。しかも、FIREを達成するには出費をもっと減らして、ローンなどの負債も減らす必要があると言ったとたん、チャッキーは身がまえた。そしてそのとき初めて、新品の1万9000ドルの釣り用ボートの上でこの会話をすべきではなかったと気づいたが、後の祭りだった。

FIREが正しいと思うあまり相手のやり方を批判して失敗した経験を思い出し、僕はすぐに引き下がった。チャッキーには絶対に批判していると思われたくない。そもそも、テイラーと僕だってつい最近まで収入が増えるたびに生活水準を上げていく罠にはまっていたのだ。

その夜僕は、余計なことは言わず、手数料の低いインデックスファンドに関する情報と、いくつかのブログとポッドキャストのリンクをチャッキーに送った。

■　■　■

11月の残りは、ジョヴィーと遊び、キッチンで家族や友人たちとカードゲームをし、本を書き、ドキュメンタリーの制作作業に追われて過ごした。

僕は、ふだんの短い訪問ではめったに経験できない家族との充実した時間を楽しんでいた。ある金曜日には、ほぼ1日かけて家の裏手にある境界フェンスの大部分を父と修理した。その途中、将来の修理を減らすため、フェンスの上に垂れさがった枝を計画的に刈り、大きめの枝を切って丸太にし、残りを燃やすために積み上げていった。子どもの頃好きだった身を切るような寒さのなか、父と僕は忙しく手を動かし、いつか一緒に賃貸用の不動産を買って手を入れよう（父より僕のほうが乗り気だった）と話しながら、楽しい時を過ごした。汗、寒さ、疲れた足。トラクターの籠に乗って5メートルの高さまで上昇し、重い鋸（のこぎり）で頭上の木を切っていたせいで肩が焼けるように痛い。労働安全衛星局には文句をつけられるかもしれないが、Mr.マネーマスタッシュならよくやったと肩を叩（たた）いてくれるはずだ。

家のなかに入ると、ジョヴィーは祖母の膝に座り、テイラーはソファで仕事をしていた。隣に座った僕に、母は満面の笑みを浮かべ、長いことジョヴィーと一緒に過ごせてお父さんも私もとても喜んでいるのよ、と言った。実家を訪ねるときはいつも、だいたい1週間ほど。テイラーも僕も仕事モードから気持ちを切り替えながら、家族や友人との予定を目いっぱい詰め込んでいたから、こんなふうに穏やかな時間を両親と過ごすことはできなかった。僕の両親、とくに母は、ＦＩＲＥを目指す僕らふたりを心から応援してくれたばかりか、引っ越しやドキュメンタリー撮影のあいだジョヴィーを預かり、僕が不安になるたびに励ましてくれた。ティム・フェリスのポッドキャストのあのエピソードを聞いていなければ、いまこうやってアイオワの実家に座って母が娘と遊ぶのを見ることもなかったと思うと、とても感慨深いものがある。

僕にとってこれは、旅の初期に経験した幸せな時間のひとつであり、僕らの目標とＦＩＲＥ

哲学が具体化した瞬間でもあった。テイラーと僕は、幸せを見つけるために慣れ親しんだ環境を去った。実家で暮らす、倉庫に持ち物を預ける、どこに住むかもわからないまま家から家を転々とするといった生活では、楽しいことばかりではなく、つらいこともあったが、そうした大変な経験のすべてが、こういうのどかな1日で帳消しになった。家族全員が揃うこと。父と外でフェンスを直すこと。母と過ごすこと――そうした小さな楽しみのひとつひとつが、僕らが正しい道筋を歩んでいるという証（あかし）に思えた。

12月初めには、アイオワでの滞在は終わりに近づいていた。テイラーの家族と休暇を過ごすためクリスマスの1週間前にシアトルに戻り、年が明けたら、試しに3カ月ベンドに住むことになっている。これまでのところ、ＦＩＲＥの旅は申し分ないほどうまくいっている。僕もテイラーも、両親といままでになく心を通わせ合うことができたと感じていた。とはいえ、マイホーム探しを始めるのが楽しみでもあった。

数日後、母からクリスマスプレゼントに何が欲しいかと訊かれ、わくわくした気持ちが一気にしぼんでいくのを感じながら、テイラーと僕はパニックに駆られてテーブル越しに目を見交わした。クリスマスプレゼントは僕らの予算に入っていない。母が予定を説明するのを聞きながら、感謝と愛を示す毎年恒例のプレゼント交換を期待されていることに僕らはうろたえた。

母は、親戚に何をあげるつもりかを話したあと、僕らがいくつかパーティに招かれていることにも触れた。パーティに行くには、ホストに手土産(てみやげ)を持っていかなければならない。でも僕らがプレゼントにあてられるのは、毎月の〝日用品費〟の150ドルのみ。そのほとんどは、ワインやチョコレート、キッチンペーパーや洗剤ですでに消えている。テイラーと僕がクリスマスに何が欲しいかはどうでもいいが……両親、ジョヴィー、テイラーの妹、義理の弟、姪(めい)たち、テイラーの祖母、それに友人たちの贈り物費用をどうやって捻出すればいいのか？

以前は、クリスマスのプレゼントに毎年1500ドル以上使っていた。ひとりひとりが僕らにとって大切な存在だと示したくて、誰に何をあげるかじっくり考えたものだ。僕らは気前がよかった。いまでもそれは変わらない。だが……FIREを達成したくて焦るあまり、予算を組むときにすっかりクリスマスのことを忘れていた。

毎年1500ドルも使うことはできないが、家族に何もプレゼントしないクリスマスなど考えられない。2か月も世話になっている両親にそれではあまりにも無礼で恩知らずなばかりか、これまでずっと楽しんできた伝統行事をないがしろにすることになる。クリスマスに贈り物をするのは、年を取るにつれて僕らが身に着けた消費癖とは違う。子ども時代の一部であり、心に深く刻まれた、家族の絆(きずな)を深める習慣なのだ。

寝室でふたりになった僕らは、〝日用品費〟の残り93・22ドルでどうやって全員に贈り物を買おうか頭をひねった。当然、そんなことは不可能だったから、たちまち僕らの会話は倹約生活によるストレスと、そのためにどれだけエネルギーを消費しているかに及んだ。そのストレスのせいで生活のあちこちに支障をきたしている、と。実はその1週間ほど前、両親と一緒に3食ともにし、散歩にときどき行く以外ほとんど家から出ない日がまる4日続き、実家に閉じ込められているような気がしてどうにも耐えられなくなり……外食はやめようとあれほど固く決意したのに、「そんなの知るか！」と、オンラインで4つ星レビューの付いたレストランに出かけたのだった。ところが、母の手料理に比べるといまいちだったうえに、予定になかった出費をした罪悪感で、その夜はちっとも楽しめなかった。つい誘惑に負けて昔の浪費癖が出ただけでなく……その価値はまったくなかったのだ！

毎日倹約生活を送るのは大変なことだが、それでもFIREをあきらめたくなかった。どこで節約できるか予算を見直しながら、僕はビールやワインを飲むのをやめたらどうかと提案してみた。1年間の放浪の旅が始まってからというもの、かなり飲む回数が増えている。

「サンディエゴを出るとき、ワインとチョコは絶対あきらめないと言ったわよね」テイラーは言い張った。「家も車もあきらめたし、友だちだって残してきた。しかもあなたの実家に居候してるのよ。ワインとチョコだけは譲れないわ」

そのとおり。テイラーにははっきり言われ、どれほどたくさんのことをあきらめてきたかを改めて思い出した。たった数か月のあいだに、僕らは人生（と支出）をひっくり返した。それなのに、まだ足りない。月4200ドルの予算を守ることがすでに難しければ、家賃か家のローンがそれに加わったらどうなるのか？　節約のために、あとどれくらいあきらめなければいけないんだ？　いまはそれができたとしても、5年後、あるいは経済的独立を達成したあとはどうなる？　〝リタイア〟したあとも、レストランでの食事も、クリスマスプレゼントも、外国旅行も楽しめない生活が続くのだろうか。

自分でも完全に認めていたわけではないが、このときの僕はFIREのライフスタイルに幻滅し、すっかり参っていたうえ、苛立ってもいた。数か月前に大きな決断を下したときの大量のアドレナリンは消え失せ、残ったのは――仕事量は以前と変わらないのに、贅沢と便利さが激減した暮らしだった。支出を抑える生活を決めたときのわくわく感は、影も形もない。

実際、FIREを実践して経済的な自由を手に入れた人たちの話を聞くたび、疑問に思っていたこと――常に倹約の道を選ぶことで、落ち込むことはないのだろうか？　予算なんか放り出して、少しは人生を楽しみたいと思うことはないのか？――を、とうとう自分で経験することになったのだ。

実はほかにもFIREに関する不安があった。少し前、「FIRE哲学の欠点」と題された記事を読んだのだ。その欠点のひとつは、記事によれば、多額の収入が失われる可能性である。ＦＩＲＥコミュニティは、早期にリタイアするまでの10年から15年間の莫大な収益力を利用して資産を蓄えることをひたすら強調している。とはいえ、たしかに記事の指摘どおり、早めにリタイアした場合、貯金はそこでストップするし、その後の20年間から30年間（典型的な退職年齢までのあいだ）の投資による複利も失うことになる。通常の退職年齢までのこの20〜30年間は、本来ならば最も給料が高い時期だ。早期にリタイアすれば社会保険への貢献額も減るから、のちの年金額にも影響が出る。それに、ＦＩＲＥライフスタイル（倹約に精を出し、働かない両親）は、子どもにとって悪い模範になるのではないか？

話しているうちに、僕らの心のなかで不安と猜疑心が膨れ上がっていった。もし、どちらかが急に病気になったら？　家族に金銭援助が必要な状況になっても、ＦＩＲＥのせいでできなかったら？　働かずに、どうやってジョヴィーの大学資金を貯めるんだ？　さんざん不安を吐露し合ったあと、僕らはとにかく寝て、翌朝ゆっくり話し合うことにした。この旅を続けるには、不安を振り払い、ＦＩＲＥに対して最初に抱いた興奮を多少とも取り戻し、ＦＩＲＥを目指そうと決断したそもそもの理由を思い出す必要がある。

大学の学費を貯めるか、FIREの貯蓄をするか

FIREを目指す人々は、ときに選択を迫られていると感じる。早期リタイアに向けて貯金をすべきか？ それとも、子どもの大学費用を貯めるべきか？ 子どもたちに対しては、〝自分の学費は自分で捻出しなさい〟と言えばいいのか、それとも〝巣立つまで私たちが面倒を見てあげる〟と安心させるほうがいいのか。これについて、テイラーと僕は何度も話し合ってきた。まだ明確な答えは見つかっていないが、現在の予定では、娘が働き出すと同時にRoth IRAに加入することを勧める。つまり、複利効果を高めるために一刻も早く積み立てを始めさせる。それから、FIREに容認された学費節約術をすべてジョヴィーに教えるつもりだ。たとえば、コミュニティ・カレッジ（公立の2年制大学）に通うとか、奨学金獲得を目指す、実家から通う、夏のあいだアルバイトをして学費の足しにする、など。そして僕らは、529プラン（や、ほかの大学資金用口座）への積み立てはしないことにした。特定の目的にしか使えない口座に多額の資産を凍結されれば、選択肢が限られてしまうからだ。経済的に自立することには、好きなときに自分のお金を使える自由も含まれている。

翌朝になっても、心のなかはストレスと猜疑心でいっぱいだった。テイラーとジョヴィーと静かに朝食をとりたかったが、両親がいるからそれはできない。ふたりの存在が疎ましくなり……さらに罪悪感が強まった。両親は僕らを居候させてくれているうえに、掃除や料理も引き受け、ジョヴィーの面倒も見てくれる。なんと恵まれていることか。両親にとってもこの生活は大変なはずだから、感謝してはいたが、サンディエゴの以前の暮らしと友人たちが恋しかった。そして一瞬……安定した収入が得られた以前の仕事すら懐かしく思えた。

この〝FIREの旅〟は失敗だったのか？

旅を始める前、テイラーと僕はこう決めていた。うまくいかなければ、いつでもパラシュートの紐（ひも）を引っ張ろう——つまり、いつでもコロナドに引き返そう、と。いまが引き時なのか？コロナドに戻ることが、素晴らしいアイデアに思えてきた。アイオワの12月の寒さは厳しいが、カリフォルニアは18度と爽やかだ。キッチンのテーブル越しに僕を見た表情で、テイラーも僕と同じことを考えているのがわかった。

その朝は、FIREに否定的な記事をネットで読み、クリスマスプレゼント費用を捻出しようと予算を微調整して過ごした。それに飽きると、フェンスの修理は願ってもない逃避になった。身も凍るような寒さのなか、作業着姿でしばらく無言のまま枝を切っていると、ふいに父がこう言った。

「ふたりともストレスが溜まっているようだが、大丈夫か？」

僕は、倹約生活のせいなんだ、と打ち明け、いろいろなものを犠牲にした意味があったのか不安に思っていることを話した。

「ビーチのそばで楽しく暮らせるのに……家族に倹約生活を無理強いしてるのかな？」

僕が言うと、父は笑った。

「まったく、周りを見てみなさい。私も母さんも、もっと贅沢な暮らしができるときでも倹約しながら暮らしてきたんだぞ」

父は最低限のものしかない家庭で育ったから、倹約生活がどういうものかはじゅうぶんわかっていた。

「おまえぐらいの年には、お父さんもお母さんも裕福とは言えなかった。だから長い時間一生懸命働き、慎ましく暮らしてきたんだ。気持ちはわかるよ」

あまりにも衝動的にＦＩＲＥのライフスタイルに飛びこんでしまったことが間違いだったのかもしれない、と僕は自分が感じている迷いを口にした。

「じゅうぶん理解できてもいないライフスタイルをドキュメンタリーにしようだなんて、どうかしてるよね？　ほんの何か月か前に耳にしたアイデアに基づいて、人生を変える重要な決断をいくつも下すなんて」

「まあ、おまえは昔から衝動的だったからな。何か思いつくと、試さずにはいられない。撃ってから狙いを定めるタイプだ」

そのとおり。大人になってからの僕は、しばらく何かに没頭しては、徐々に興味をなくして次の興味の対象に夢中になる、の繰り返しだった。

「ＦＩＲＥが実際に最悪のアイデアだったら、どうしよう?」

父は手を止め、父親らしい口調で率直にこう告げた。

「おまえがこれまで試したことの一部は、私にはわけがわからなかった。だがおまえは何度も、自分が正しかったことを証明してきたじゃないか。それに、今回のＦＩＲＥは名案だと思うね。このプロジェクトはこれまでとは違うよ、スコット。ＦＩＲＥとそのドキュメンタリーは間違いなく当たるとも。おまえたちふたりはびっくりするぐらい変わった。父さんは誇りに思っているよ。倹約生活のためにコロナドを離れるなんて思いもしなかった。このまま頑張って続けなさい」

それから父は、僕がプレゼントしたジェイエル・コリンズ著の『父が娘に伝える自由に生きるための30の投資の教え』を母と一緒に読み、リサーチもして、老後の蓄えを全額バンガードのインデックスファンドに投資することに決めたと言った。

「ＦＩＲＥが間違いなら、私もおまえと一緒に騙(だま)されたことになるな」

その何時間かあと、いとこのチャッキーから、予算計算ツールを試してみた、とメールが来た。

「くだらないものに金を浪費してたことがわかったよ！　このツール、最高だな」

釣りに行ったとき、話してみてよかった。不安に駆られていた僕は、大好きないとこもＦＩＲＥに関心を持ったことに少しほっとした。

・　・　・

こうしてＦＩＲＥに対する不安は鎮まったものの、Mad Fientistことブランドンに電話をかけ、自分の心配を打ち明けることにした。

僕は過剰に反応してるだけか。それとも、この不安はもっともなのだろうか。彼も同じ疑いを抱いたことがあるのか？　あるとしたら、どうやって対処したんだろう？　ブランドンは辛抱強く僕の話に耳を傾け、ＦＩＲＥを目指し始めた頃、自分も同じように苦しんだと話してくれた。極端な倹約生活のせいで鬱状態になった人、周囲から孤立してしまう人も見てきたという。それから、「僕たちはせっかちなところが似ている」と言い、ＦＩＲＥと節約志向に取り憑かれて日々の幸せを犠牲にしてはだめだと念を押した。Mr.マネーマスタッシュことピートも、「幸せこそが、唯一目指すべきこと」というブログ記事でこの点に触れている。ピートは「お金」ではなく、まず「自分たちを一番幸せにしてくれるもの」を考え、それから長続きする幸せをもたらす選択を下すべきだと書いている。

次に、現実的な「お金」の心配についても、ブランドンに尋ねてみた。株式投資からのリターンが思ったよりも少なかったら？　ある意味では、いまの僕らはすべてを一連の財政的仮定に賭けているも同然だ。投資が予定通りの成果をあげなければ、僕らの犠牲はすべて、無意味になりかねない。この不安は、ＦＩＲＥコミュニティでも繰り返し議論されている。ブランドンは具体的な数字を挙げて説明してくれた（要約は、72ページのコラム「株が大暴落したらどうなるのか？」を参照のこと）。結論から言うと、〝経済的独立〟達成までの道のりは、人によってまったく異なる。どれだけの期間、どれくらいの金額を貯金する必要があるかは、どれだけ出費があるか、インフレ率、実際に達成できる利回りなど数多くの要因によって変わってくる。具体的な数字はさておき、ブランドンによると、堅実なＦＩＲＥ計画においては辛抱強く、柔軟な対応をすることがきわめて重要になる。前もって決めた日にちまでに経済的独立を果たすことだけに集中し、投資の収益率に固執した場合、すべての支出は害となる。中核となるＦＩＲＥ原則――稼いだ収入より出費を少なくし、貯蓄率を上げる――に従えば、早期リタイアは確実に実現する。それが8年後ではなく、10年後、12年後だということが問題だろうか？　株価の一時的低下が長引くことにより、達成までもっと長くかかる可能性もある。「なるようにしかならないさ」彼はそう言って、ほとんどの人々がＦＩＲＥを達成したあとも、夢を追うために仕事を続け、収入を得ていることを僕に思い出させた。実際には「ＦＩＲＥ達成前」と「ＦＩＲＥ達成後」の生活は、はっきり区別されるのではなく、継ぎ目なく溶け合う可能性が高い。経済的独立を達成する具体的な日にちは、変わる可能性のあるおおまかな目標、あるいはカレンダーの丸で囲まれた日付にすぎないのだ。「方針を決めたら、あとはくよくよせずに人生を楽しむことだ」ブランドンからは、そうアドバイスをもらった。

「でも、多額の収入が失われるという欠点についてはどうだい？」

リタイアすることで、年間10万ドルを20年分、つまり合計７００万ドルの収入を失うのなら、そもそもリタイアする意味があるのか？

ブランドンは声をあげて笑った。

「スコット。ＦＩＲＥは幸せな人生に何が必要かを探っていくことだ。いったい何に７００万ドルも必要なんだ？　ボートクラブの会員権とＢＭＷかい？」

痛いところを衝かれた……。たしかにそのとおり。ＦＩＲＥを始める前にテイラーと一緒に作った、どういうときに幸せを感じるかというリストには、大切な人たちと過ごす時間や、彼らとの繋がりを感じる経験が連なり、贅沢な体験や便利な品物、ましてや７００万ドルは入っていなかった。

　ブランドンはこう念を押した。

「大切なのは〝お金〟じゃない。金銭はあくまで人生における経験を最大限有効に楽しむための媒体にすぎない。それを心に留めておくことだ」

・
・
・

その後、テイラーと僕のアイオワでの経験は、ごく当たり前だっただけでなく、FIREを目指す人々の一種の通過儀礼だったことがわかった。僕らは、一度に、しかも急激に生活を変えすぎた。FIREに興奮するあまり、長期間続けられる方法を考えるのではなく、できるかぎり出費を削ろうとした。いわゆる〝ハネムーン期間〟が終わってみると、ほとんどお金を使わない暮らしをがむしゃらに目指していた僕らは、この極端な倹約生活が楽しくないという事実に直面した。

　もちろん、〝極端な倹約生活〟の定義は人によって違う。一部の人にとっては、年に1万ドルしか使わないことを意味するだろうし、年に10万使うのが倹約だという人もいるだろう。人生を楽しむこと、家族や友人たちとの時間を楽しむことよりも貯金が大事になった時点――僕らにとってはそれが〝極端な倹約生活〟に陥った瞬間だった。難しいのは、友だちとの寿司ディナーに２００ドル払うのを正当化する言い訳に、個人的な楽しみを使いがちなことである。この言い訳が〝答え〟ではないのと同様に、クリスマスプレゼントを買わないのも、できるだけ安いワインを飲むのも、〝答え〟ではない。テイラーと僕は、我慢と贅沢のちょうどよいバランスを見つける必要があった。

この問題に関して僕が助言を仰いだのは、ブログ〈Get Rich Slowly〉の創設者ＪＤ・ロスだ。ＪＤは、負債を返済して浪費をやめたいと決意し、個人資産管理（家計簿）ブログを始めた。そして、この決意は実を結んだ。ブログを始めて1年後、彼は生まれて初めて、すべての負債から解放された。その後、彼のブログはフォロワーが一気に増え、個人資産管理ブログのなかでもとりわけ人気となり、やがて彼はそのブログを売却して経済的独立を果たした。ＦＩＲＥコミュニティでは、ＪＤはＦＩＲＥを裏打ちする感情面と心理面（数字ではなく）にフォーカスを当てている。彼はまた、なぜ経済的に独立するのかを、長いことかけてじっくり考えてきた人だ。

ＪＤは少し前、僕の個人的なミッションステートメント、つまり行動指針を作成する手伝いをしてくれた。このエクササイズは、どんな財政状況にある人々にとっても非常に役立つが、〝リタイアさえできれば幸せになれる〟と信じてＦＩＲＥを目指している人にとっては、とくに有益だ。まず、3つの問いに答えよう。

- 人生で一番重要な目標は？
- あと半年しか生きられないとしたら、何をする？
- これから5年間を、どう過ごしたい？

僕の答えは次のとおりだ。

- 家族が僕のすべてだから、人生で一番重要な目標は、できるかぎり家族を支え続け、家族が必要なときにそばにいること。未来のことで頭がいっぱいになって周りが見えなくなりがちだが、いまを楽しみ、家族と一緒に過ごしたい。
- あと半年しか生きられないとしたら、家族と一緒にできるだけ長く過ごしたい（理由はすでに述べたとおり）。そして、自分の人生を顧みたい。
- 夢想家の僕は、将来に思いを巡らせるのが大好きだ！　だから、これからの5年間は、起業家として精力的に活動しながら、できるだけ多くの人々（もちろん、自分と家族も含め）が経済的独立を達成するよう努力したい。

次にこの答えを合わせてひとつの行動指針にまとめる。僕の最終的な行動指針は、以下になった。

僕を愛し、頼りにしてくれる人たちの支えとなる。
豊かで幸せで実りある暮らしを送り、ほかの人々がそれを達成する手助けをする。

ブランドンやＪＤのような人たちは、すべてをあきらめて節約し、可能なかぎり早くリタイアするのがＦＩＲＥではない、と僕に教えてくれた。大切なのは、より大きな人生の目的に沿ったライフスタイルを築くこと。まだ働いているときもそれは同じだ。〝退職〟がすべての答えではない。ＦＩＲＥの場合、自分の価値観と自分の選択をひとつにすることで、自然とたどり着く結果が〝リタイア〟なのである。

さて、その年のクリスマスはどうなったか。クリスマスの前、アイオワからシアトルに行く頃には、プレゼント問題は解決していた。ジョヴィーはまだ幼いから、ラッピングしたスープの缶詰でも喜ぶだろう。そこで僕らは、古本屋で買った絵本をきれいに包装した。ジョヴィーが大喜びしたことは言うまでもない。僕らの生活スタイルが嫌な思い出にならないよう、そして伝統を台無しにしないよう、姪っ子たちには新品のプレゼントを用意した。友人たちへの贈り物はあきらめることにしたが、これはさほど難しくなかった。移動の連続で会えなかったから、誰も気づかなかったのだ。それから、家族とのプレゼント交換については、お金のかからない経験や一緒に過ごす時間を大事にするという長期的な解決策を見出した。毎年くじで誰にプレゼントを贈るかを決めて、それぞれが家族のひとりに楽しい体験をプレゼントする。こうすれば、たんに物を送るのではなく、愛する家族と一生心に残る思い出作りができる。正確には倹約ではないが、計画的なお金の使い方であることは間違いない。

贈り物に関しては、僕らはいまだに試行錯誤している。経済的な目標を固守しつつ、どうやって誕生日や記念日を祝ったらいいのか？　お金や贈り物なしで、大切に思っていることをどうやって示せばいい？　さらに、特定のお祝いやその年の行事がうまくいっても、毎回同じ手段に頼れるとはかぎらない。ジョヴィーが大きくなるにつれ、プレゼントに対する期待は変わるだろうし、僕らのライフスタイルも経済状況も変わるだろう。だが、いまのところは、贈り物費用として毎月50ドル確保している。

その年のクリスマスに学んだ真の教訓は、そのときどきで臨機応変に対処する必要性だった。そして僕らは、ストレスや害をもたらす倹約はＦＩＲＥの基本理念に反すると肝に銘じた。

第11章
夢の家VS夢の暮らし

CHAPTER 11 : DREAM HOUSE OR DREAM LIFE ?

ベンドは、僕らにとって夢の街だった。

ほんの何週間か住んだだけで、すっかりこの街に惚(ほ)れ込んでしまったから、ほかの候補を考える必要はなくなった。

ベンドでは、自転車での移動がしやすく、アウトドアもたっぷり楽しめるうえ、FIREの予算に合った暮らしができる。しかも、年間の晴天日数はなんと300日近くあり、世界でも有数の地ビールの本場だ。サンディエゴに住んでいた頃〈ワシントンポスト〉紙でベンドの記事を読んだときは、あまりにも大げさに誉(ほ)めたてているので、思わず疑ったのを覚えている。その記事にはこう書かれていた。

オレゴン州中部最大のこの街には、71の公園があり、遊歩道は合わせて80キロ近くに及ぶ。1時間車を走らせれば、26のゴルフコースでゴルフを楽しみ、デシューツ川でホワイトウォーターラフティングやフライフィッシングもできる。登山ルートは1000

以上、バチェラー山には3600エーカーもスキーを楽しめる場所がある。周囲に40ある湖のひとつでパドルボードをするもよし、スリーシスターズ山や、街の中央にある高さ140メートルの噴石丘パイロットビュートでハイキングとキャンプを楽しむもよし。ベンド公園から街の中心部に向かって浮き輪やフロートマットでデシューツ川をゆったり下ったあとは、5ドル払えば街の中心部からのシャトルが公園の駐車場まで送り届けてくれる。しかもベンドは、〈ドッグファンシー〉誌で、国内で最もドッグフレンドリーな街に選ばれた。この街では、完璧ではないものを探すほうが難しいくらいだ。

ベンドを知るにつれ、このべた褒めのレビューのとおりであることがわかってきた。しかも、記事には載っていなかったが、質の高い学校が多い！

僕らは、街に来てから最初の数週間で、ベンドを探索し尽くした。公園や近くの町を訪れ、美しいデシューツ国立公園で森林局が主催している無料ハイキングガイドツアーに参加し、雪の上を散策した。交通量の少なさ、自然に囲まれているところ、そして街全体に漂うのんびりした雰囲気に、僕らはすっかり魅了された。駐車スペースはいつも簡単に見つかる。食料品店に行けば、ほかの客に気さくに料理のコツを訊かれ、目が合うとみんながにっこり微笑み、荷物を抱えていれば僕のためにドアを開けてくれた。ベンドは、大都市の刺激、居住性の良さと、小さな町の連帯感を併せ持った街だった。

いろいろな都市を転々としながら、友人宅の客間やソファ、実家の子ども部屋で寝泊まりをしてきたあととあって、ひとところに落ち着き、一軒の家を自分たちだけで使えるのはとてもありがたかった。最初は、ベンドで1年ほど家を借りて街の雰囲気を摑もうと思っていたが、ほんの数週間後には、この街で家探しをしようと決意していた。4月から6月まではハワイで留守番をする予定だが、それまでに家を見つけて低金利のうちに確保したい。それに家探しにはじっくり時間をかけたかった。もちろん、家の資産価値が上がっていくなかで、1年分の家賃を無駄にしたくないという気持ちもあった。

・・・

その前に、まず車を購入しなければならない。具体的に言うと、５０００ドルぐらいの車、である。ガソリンを食わない車をおよそ５０００ドルで購入すべきだというブランドンのアドバイスに、なるべく忠実に従いたかった。ただ、これにはひとつだけ問題がある。冬の厳しい寒さだ。山々に囲まれたベンドは、ときに激しい吹雪に見舞われ、１週間ほど気温が氷点下に留まることもあった。傾斜の厳しい道路に氷が張ることもある。燃費のいい車を買いたいのは山々だが、前輪駆動のマツダ3で何度もスリップした経験から、四輪駆動車が必要だと判断した。オークションサイトのクレイグリストで中古車を探したが、ベンドでは5000ドルで四輪駆動車を見つけるのはほとんど不可能だ。しぶしぶ予算を少し上げてみると……

あった！　理想的なトヨタ4ランナー、走行距離たった16万キロ、過去のオーナーはひとりという良好な状態で、1万2500ドル。この条件なら、ずいぶん安い！　翌日、僕はベンドに遊びに来ていた父と一緒に、車を見に行った。父は僕らにぴったりの車だ、あと16万キロはゆうに走るだろうと太鼓判を押した。しかし、僕のスパイダーセンスならぬFIREセンスは、不安を訴えていた。その4ランナーは、1リットルで6キロほどしか走らないうえ、僕の決めた予算の2・5倍もする。

4ランナーを見に行く直前、僕は走行距離29万キロ弱、7500ドルの2006年式ホンダCRV四輪駆動車も見つけていた。さっそくCRVの試運転を予約すると、車内は広いうえにエンジン音も威勢がいい。おまけに、1リットルで9キロ弱走るし、メンテナンス履歴も問題なし。それに、新品のスノータイヤが1セット付くという！　走行距離は多いが、定期的に点検整備され、オーナーはこれまでひとりだけ。つまり、このホンダのエンジンがまだまだ勢いよく動き続ける確率はじゅうぶんある。たとえ数年しか乗れないとしても、マツダほど価値の下落率は大きくない。それ以上持てば、儲けものだ。しかも、ちょうど、なるべく自転車で移動しようと決めたところだから、いいモチベーションになってくれる——何せ、走行距離が短ければ短いほど車は長持ちし、ガソリン代が浮き、大気汚染も抑えられるのだから。

市場調査をしたあと、僕はホンダCRVに6500ドルのオファーを出した。そのオファーが通り、僕は晴れてFIREが奨励する現金払いで中古車を手に入れた。5000ドルではなかったが、このくらいの差はまあ許容範囲内だろう。

その夜、CRVを僕らが滞在している家の前に駐めながら、大人になってから初めて現金買いで車を手に入れたことに気づいた。34歳の僕は喜ぶべきなのか、嘆くべきなのかわからなかったが、どちらにせよFIREに大きく一歩近づいたことはたしかだ。節約志向の中古車を手に入れたいま、僕はマツダをリース転送会社のウェブサイトに掲載し、いよいよ家探しに取りかかった。

■

■

■

僕らの新たな夢の街にはひとつだけ問題があった。そこがほかのみんなにとっても夢の街だったことである。その人気を反映し、ベンドの不動産価格は、僕らが最初にサンディエゴで見たときはおろか、エクアドル合宿時と比べても上がっていた。僕らは合宿時、借りるなら家賃は月1500ドルまで、購入するなら40万ドルまでという予算を立てた。オンラインでのリサーチによれば、当時のこの予算は現実的だった。テイラーと僕は、寝室が3つ、床から天井まである高い窓と、ホームオフィスが建てられるほど大きな裏庭があり、徒歩か自転車で行ける距離にビールを飲めるお店が1、2軒ある家を想像していた。結局のところ僕は、サンディエゴでなければ、同じ生活の質を保ちながらもっと安く暮らせる街が見つかるとテイラーに約束したのだ。近所を散歩できる地域に美しい家を所有することは、僕らの幸せにとって重要な要素だった。

だが、本格的に家探しを始めたとたん、楽観的な展望が消えた。地形やエリア、学区を良く知るにつれ、オンラインで見たほとんどの家が町の中心からかなり遠いか、状態が悪いことがわかった。僕らが住みたいと思うエリアの立派な家には、しばしば提示価格を上回る価格の現金買いオファーが殺到し、あっという間に売れてしまう。僕らが購入できそうな地域の家は、狭すぎる（90平米以下）か、中心部から離れていてどこに行くにも車を使わなければならない。

「ベンドに来れば、妥協しないですむはずだったのに」

寝室は3つもいらないと説得しようとする僕に、テイラーはこぼした。

「引っ越し自体が妥協だったでしょう?」

たしかに愛する土地を離れるというのが妥協だった。まさか買う家の条件まで妥協しなければばならないとは思いもしなかった。

それから突然、理想の家が見つかった。歩ける距離にカフェとフードマーケット、数軒のレストランがある丘の少し奥に入った家で、敷地は1000平米以上。ものすごく広い庭を見渡せる大きなテラスまである。40年代~60年代の建築様式で、居間の壁一面の窓からは美しい松林が見える。居間に入ってその眺めを見た瞬間、テイラーの目が輝いた。

「ここは私たちの家よ」

裏庭を見ているとき、テイラーは僕の耳元でそう囁いた。裏庭には、ホームオフィスと鶏小屋まである。僕も同感だった。この家は文字通り、僕らの家だと感じた。一から建てたとしても、ここまで自分たちの理想に合う家は作れないだろう。

唯一の問題は、予算を少しオーバーしていることだ。提示価格は48万ドル。予算の40万ドルより8万ドル多い。貯金を全部使えばこの差をカバーできるだろうか?

内覧が終わって滞在先の家に戻りながら、サンディエゴではコロナドから1時間離れたひどい状態のタウンハウスに50万ドル以上払うつもりだったのだから、と正当化した。それよりも2万ドル少ない48万ドルで、ベンドの絶好の立地にある夢の家が手に入るのだ。僕らはこの家を買うため、ほかの出費を削る方法を必死に考えた。

「経済的独立を達成する日を少し延ばしてもいいかもしれない」僕は言った。「何年か余分に働く気があれば、あの家を買えるよ」テイラーはためらっているような顔をした。1年長く働けば、それだけ年を取る。

「私が、コミッションの大きい契約をふたつほど取るのはどうかしら?」テイラーは提案した。テイラーの収入の一部は歩合で、顧客を増やすチャンスは常にある。「今年いっぱい毎週の勤務時間を2、3時間ほど増やせば、差が埋められるわ」

〝あの家を買うのは、名案ではないのかもしれない〟——頭のなかでそんな声が聞こえた。FIREの原則は、自分たちが買えるより少ない額で家を購入するか借りることだ。テイラーと僕がカリフォルニアを出たときの最大の目標は、住まいに払う支出を減らして貯金することだった。

不動産屋は、すぐに売れてしまうだろうから、オファーを出すつもりなら、なるべく早いほうがいい、と言った。テイラーと僕は、近所を散歩しながら決めようと、家に戻ってジョヴィーをベビーカーに乗せ、夕日が沈みかけている街に出た。天気予報では今夜は雪になるそうだが、空は澄みわたっている。しばらくしてから、テイラーが僕の手を取った。

「コロナドじゃない場所に住んで幸せになれるなんて、正直思ってなかったの。でも、間違っていたわ」

僕はうなずき、ベンドは、自分たちでも気づかないうちに心のなかでずっと探し求めていた街に思える、と答えた。ベンドのようなのどかで安全な街でジョヴィーを育てるのは、理想的だ。働いていなければなおのこと、娘と一緒にアウトドアライフをたっぷり楽しめる。テイラーがそう思ってくれたことが何よりも嬉しかった。そして、テイラーを失望させることへの不安が消えていった。

「よし、あの家を買おう」

僕は舗道で立ち止まり、不動産屋に電話をかけ、オファーを入れたいと伝えた。その夜、ワインのボトルを開け、僕らの未来に乾杯した。新しい街、新しい家で、新しい人生が始まるのだ。

■　■　■

翌日、「オファーがいくつも入っているから、本気で購入したいのなら買い値を上げる必要があります」と不動産屋から電話が入った。

「すでに予算オーバーですよ。どこまで上げればいいんです？」

競りから脱落したくないなら、50万ドル以上のオファーを出すべきだという。それじゃあ、カリフォルニアの予算と同じじゃないか。コロナドをあとにしたのは、同じ価格で家を買うためじゃない……これはＦＩＲＥじゃない。

そう思うのと同時に、〝だけど、あれはただの家じゃない――僕らの家だ！　僕らがずっと買いたいと夢見てきた理想の家だぞ〟という思いも浮かんだ。しかも、いまベンドがこれほど人気の街なら、５年、10年後には、いったいどれほど価値が上がっていることか。そこで僕らは、買い値を２万５０００ドル上げ、50万５０００ドルでオファーを出した。

その１時間後には、自分たちが間違いをおかしていることに気づいた。１週間のあいだに、僕らは家の予算を10万ドル以上も上げた。問題は家やコストではなく、お金に関する考え方が昔に戻ってしまったことだ。環境を変え、車も乗り換え、出費の習慣も変えたが、いまだに古いメンタリティで多額の出費を正当化している。まだ、自分たちには〝とっておきのご褒美〟を得る資格があると感じ、欲しい物を手に入れるには妥協すべきではないと思っている。しかし、自由な時間を手に入れたいのなら、50万ドルの家を買うことはチャンスではなく失敗だろう。

テイラーとジョヴィーと散歩をしていた僕は、近くの公園から家に戻る途中で、心のなかにある疑いを抑えていられなくなった。そしてテイラーに、家の購入のために50万ドル出すのは気が進まない、ＦＩＲＥに本腰を入れたいまとなってはなおさらだ、と伝えた。カリフォルニアで書いた〝幸せを感じる瞬間ベスト10〟のリストには、巨大な窓付きの美しい家は入っていなかったと訴えた。

「僕らを幸せにしてくれるもののなかには、アーチ型の天井もリフォームしたばかりのキッチンもなかった。気をつけないと、僕らの夢の家が本当の夢を叶える妨げになるかもしれない」

「予算内でこの街に買える家で、幸せになれるかどうかわからないわ」

テイラーはそう言って、手に届く値段で家が買えるほかの街に目を向けるべきかもしれないと仄めかした。生活費の高くない街に行くためにサンディエゴを出たが、結局ここベンドでも同じ会話をしている。

僕はまだベンドをあきらめる気にはなれなかった。でも、テイラーの言うことにも一理ある。僕らの目標が時間を取り戻すことだとしたら、できるだけ安い地域に移り、できるだけ安く帰る家を購入するのが理に適っているのではないか？　それから、極端になりすぎるなというブランドンの警告も思い出した。僕らの日々の幸せとFIRE計画とのあいだの、ちょうどよいバランスはどこにあるのか？　必要な物を削らずに貯金をできるだけ増やすにはどうすればいい？　不必要な贅沢と、真の幸せをもたらす買い物の違いは何だ？

それから、〈Mad Fientist〉のポッドキャストで聞いた金融専門家マイケル・キッチェスのインタビューを思い出した、キッチェスはこう言った。

僕は大人になってから、ひどいときには収入の2割を家賃に払ってきた。たいていは1割以下だったが、それくらいしか家賃に払っていないときは、一杯5ドルのスタバのコーヒーを買わずに貯金すべきかどうかなんて、まったく気にしない。買いたい気分になったらいつでも、コーヒーを買うよ。大きな買い物と継続的な支出にさえ目を光らせておけば、コーヒーみたいなその時だけの小さな買い物は大した額にはならないんだ。

不動産のような〝大きな買い物〟の決断が、FIREの成否を分ける鍵だということは、テイラーも僕もわかっていた。スタバのコーヒーを買うかどうかで悩むのと、家の価格で悩むのは、まったく次元が違う。だが、キッチェスの言うとおり、大きなストレスをなくせば、小さなストレスも一緒に消えてしまうことが多い。

この家は〝答え〟ではない。僕らは不動産屋に電話をかけ、オファーを取り下げたいと伝えた。ハワイに行く途中、テイラーと僕はほかの都市も考えようと話し合った。現実とは思えないほど素晴らしいベンドの街は、まさに〝夢〟だったのかもしれない。

火事がきっかけで、すべてを再検討した

FIRE実践例

コロラド州デンバー在住のハンナ

◉基本データ

FI以前の仕事：栄養士
現在の年齢：36歳
FI達成予定年齢：46歳
現在の年間支出：5万ドル

自分にとってFIREとは何か

10月のある夜、燃え盛る山火事が家から1キロのところまで迫るなか、夫のジェシーと私は大急ぎで荷物をまとめて避難した。その火事で、形あるものは永遠ではないと実感した私たちは、思い描いていた未来をあきらめ、これから来る未来に備えることにした。家を手放し、生

活費の高い地域から出て、安定した仕事を辞め、従来の〝成功〟の枠組みを疑ってみることで、もっと自由で楽しく、実り多い人生が送れると思ったの。

FIREへの道

ＦＩＲＥと出会う前、私たちはカリフォルニアのソノマ郡で暮らしていた。子どもはふたり。夫との合算収入は年10万ドル以上あったけれど、貯金はしていなかった。漠然と典型的な未来を思い浮かべていたわ。家のローン、ふたりの子ども、猫と犬が1匹ずつ、生活費の高いエリアで毎日せっせと働く暮らし。そんなとき、自分たちの価値観に近い暮らし方を学ぶために、ミニマリズムと経済的独立に関するポッドキャストを聞き始めた。そして開眼したのよ。まさに、愚かな消費まみれの深い眠りから目覚めたような気がした。

そんなある夜、煙の臭いとものすごい風の音に、私は飛び起きた。外に走り出ると、熱風が吹き荒れていた。空に柱のように立ち昇る煙しか見えなかったけれど、直感的に家を出たほうがいいと思った。大切な思い出の品や必需品をスーツケースに詰める最中、これはスーツケースに入れる価値があるものかしら、といままでとは別の視点で物を見ていた。10分後に家を出たときは、自宅に戻ってこられるのか、それとも灰の山に戻ってくるのかもわからなかった。山火事は町を焼き尽くし、５０００戸の家屋を破壊した。カリフォルニア史上最も破壊的な山火事だった。それが私の家からほんの1キロの地点まで来たのよ。友人の多くがあの夜、すべてを失ったわ。命を落とした人もいる。数週間後、私たちは家に戻り……これまでの生き方を変える時がきたと気づいたの。だって、明日が約束されていないことがわかったんですもの。

そこで、所有物の3分の2を捨て、仕事を辞め、家を売り、家族や友人に別れを告げて故郷をあとにし、ふたりの子ども（当時7歳と1歳）を連れて、新しい家を探しながら大陸を横断する旅に出た。14人の友人や家族を訪ねながら、4カ月以上かけて1万8000キロ近く運転し、26の州をまたぎ、5つの大学院を訪れたわ。そのすべてを1日140ドル以下でやってのけたの。この長旅は、子どもたちにとっては大変だったと思うけれど、家族としての絆(きずな)が強まったことは間違いないわ。その途中で私は何度か仕事の面接を受け、素晴らしい雇用のチャンスに恵まれたデンバーの街に住むことに決めたの。

要約

✓ 私たち夫婦は若い頃から経済的に分別のある選択をしていたけれど、FIREを始めたときの資産は平均的だった。

✓ 最初の家は38万ドルで購入し、4年後に60万ドルで売った。価格が高騰したのは、天災のため。

✓ カリフォルニアを出たおかげで経済的独立が近づいた。でも、達成まであと7、8年はかかる予定。

✓ FIREに関してはまだ新米で、これから学ぶことがたくさんあると感じている。

一番つらかったこと

経済的独立を目指す旅の一環として、愛する我が家を売り、友人や家族をカリフォルニアに残して、もっといい仕事が得られる生活費の安いエリアに引っ越さなければならないと気づいたときね。その家で子どもを育て、夫と年を取っていくのだと想像していたから、手放すのは本当につらかった。人生の次の段階に進むという期待感（それと家を売って得た利益）で、なんとか持ちこたえたけれど、悲しみで胸が引き裂かれそうだった。

一番よかったこと

消費社会のむなしい約束をあてにせず、夢と幸福に基づいた自分たちの望む人生を、自分たちで築いていく選択肢があると感じられること。

私のアドバイス

戸惑いや不安を受け入れ、リスクをおかすことで、自分が心から望む未来への扉が開くはずよ。

第12章
〝ＦＩＲＥ友〟作り

CHAPTER 12 : FINDING OUR FIRE FRIENDS

「ほんとに、この道であってるの？」テイラーが不安そうに訊いた。

２０１８年5月の後半、僕らはシアトルのおよそ50キロ東のくねくね道をひた走っていた。高速道路から降りたあとの2車線の道は鬱蒼とした森の木々で翳り、携帯電話の電波も入らない。

テイラーと僕は、マスタッシュアン主催の毎年恒例の集い、キャンプ・マスタッシュに向かっているのだった。絶対にためになるからと説き伏せたものの、テイラー向きのイベントではないのでは、と内心は不安だった。

この2カ月は、ハワイのカウアイ島にあるテイラーの両親の友人宅で留守番をしていた。運命のいたずらと言おうか、ちょうど僕らが島にいるときに記録的な豪雨により大規模な土砂崩れや鉄砲水が相次ぎ、道路やビーチの多くが閉鎖され、楽園でのんびり過ごす計画が大幅に狂った。毎日ビーチで過ごし、自然を満喫して節約するつもりだったが、最後の数週間は家に閉じこもるはめになった。予算の関係で、映画や外食で気晴らしをすることもできない。苛立ち（だ）が募り……ついに自分たちで決めたルールを破ってシーフード・レストランに出かけ、１００ドルも使ってしまった。美味（おい）しいシーフードをたっぷり食べられたから後悔はなかったが、予算を立てた身としては少々自責の念に駆られた。

ハワイには6月までいる予定だったから、キャンプ・マスタッシュに参加するつもりはなかったし、そもそもチケットが手に入るとは思えなかった（キャンプの定員は60人とあって、通常は数分で売り切れる）。だが、急に出張が入って行けなくなった参加者からチケット2枚をオファーされると、断るには惜しいチャンスだと考え直した。雨のハワイには未練はない。それに、テイラーと僕には倹約生活を続けるための刺激が必要だった。僕らはクレジットカードに貯（た）まっていたマイルを使ってシアトル・タコマ空港へのフライトを予約すると、ジョヴィーをシアトルにいるテイラーの両親に預けた。そしていま、週末を大勢のＦＩＲＥ信奉者と過ごすために、キャンプ地に向かって車を走らせているのだった。

ようやくヘッドライトが砂利道の横にある木製の標識を捉え、まもなく僕らは大きなロッジの前に駐車した。キャンプ・マスタッシュに到着したのだ。

マスタッシュアンとは何か？

正式に言うと、Mr.マネーマスタッシュことピート・アデニーの指針に従う者はみなそうだ。FIREコミュニティで〝マスタッシュアン〟といえば、特定の考え方を指す。ピートのブログに掲載されたガイドラインに従うマスタッシュアンたちは、年間支出を4万ドル以下に保つことを目標に、〝できるだけ物を買わない〟、〝燃費のいい車に買い替えるか車を手放す〟、〝節約のため寒くても暖房はなるべく使わない〟など消費をできるだけ抑えた極端な倹約生活を送る。また、世間一般の常識に捉われず自分の価値観に沿って決断し、自分で車を修理する、ソーラーパネルを設置する、クレジットカードのポイントをマイルに移行して旅行の費用を節約するといった〝自力で何とかする〟精神に誇りを持っている。マスタッシュアン哲学における最優先事項は、マイホームの購入、健康、休暇、友情に関する人生の決断を合理的に思慮深く行うこと。そして常に――常に、幸せに繋がるお金や時間の使い方を心がけること、である。

キャンプ・マスタッシュのチケットが手に入ると、僕は撮影クルーを同行させ、インタビューを敢行しようと決めた。ワークショップ、グループ・ディスカッション、ハイキング、マスタッシュアンたちとの交流からなるこの4日間のセミナーは、ＦＩＲＥを目指す人々、すでに達成した人々を取材する願ってもないチャンスだ。粘り強い説得が必要だったが、主催者たちは最終的に僕のクルー（監督のトラヴィスを含め）5人が、丸1日キャンプに加わることを承知してくれた。

キャンプ・マスタッシュは僕とテイラーが（できれば）新しい友人を作る、良い機会でもある。精神的な支えと実用的なアドバイスを得るために、同じ志を持つ友人を作るのは大切なことだ。たえず世の中の主流に逆らって暮らすのは決して楽ではない。だが、ごくあたりまえに外食を控え、中古品店で買い物をする人たちがまわりにいれば励みになる。何よりも、ＦＩＲＥコミュニティの仲間に会うたびに、この突拍子もない冒険について新しいことを学べるのが嬉しかった。

セミナー会場は森のなかにある2階建ての大きなログキャビンだった。食堂は広く、ミーティングのスペースもたっぷりあった。各階にベッドが2つある寄宿舎のような部屋が並び、共同のバスルームがいくつかある。周囲には何キロにもわたるハイキングコースと、泳げる小川や滝もあった。ただし、個室は保障できないという。夫婦でもその条件は変わらないと聞いて、テイラーは、〝誰がなんと言っても絶対にいや〟という顔をした。

「このキャンプは世界最大のマスタッシュアン・イベントなんだよ！」

「だったら、私が行かなくても誰も気にしないでしょ」テイラーは言い返した。「森の真ん中にあるロッジで知らない人と相部屋になるなんてお断りよ」

僕は譲歩し、個室が取れなければ、車内で寝ると約束して寝袋を積み、なんとかテイラーの了承を得た。さいわい、小川と森が見える居心地のよい2階の1室を割り当てられ、僕らはCRVの快適さを試さずに済んだ（ルームメイトもいなかった）。

部屋に落ち着いたあと、参加者が集まっている巨大なミーティングホールに下りていくと、知っている顔がちらほら見えた。ピートは外のベランダで古い友人たち（たぶん）に挨拶している。ヴィッキー・ロビンは感極まったファンに囲まれていた。ほとんどの参加者は知らない顔だ。彼らはみな、まるで長いこと音信不通だった友人どうしのように笑顔で抱擁を交わしていた。

「ワインを持ってきた？」

テイラーが囁き、僕は黙ってうなずいた。テイラーは参加することに同意はしたものの、Mr.マネーマスタッシュの提唱するライフスタイルに完全に賛同しているとは言えない。それに、彼のことを少し胡散臭いと思っていた。実際、エクアドルで初めてピートに会ったときは、胸を小突いて「あなたのブログは批判的すぎるわ」と文句をつけたくらいだ。マスタッシュアンのライフスタイルが概ね極端すぎると感じているテイラーのことが、また心配になった。筋金入りのマスタッシュアン60人に囲まれて過ごす4日間を乗り切ってくれるといいが。

近場のシアトルやポートランドから来た人々もいたが、ほとんどがカナダやシカゴ、テキサス、ミシガン、バージニアなどかなり遠くからの参加者で、なかにはイスラエルから飛んできた人もいた。

夕食のあと、全体の半分は自分たちの部屋に引きあげ、あとの半分は（テイラーと僕も含め）キャンプファイアに参加した。僕が話したエイドリアンとアダム夫妻は、〝セミリタイア〟組だった。ふたりは仕事を辞め、ときどき働いて収入の足しにしながら、キャンピングカーで1年間あちこち周っているという。

「これなら完全な経済的独立を待たなくても、人生を楽しめるでしょう?」とエイドリアンが説明してくれた。焚火の向かい側に座ったテイラーは、現在アマゾンで働いている女性にマイクロソフトで働いてきた経験を話している。

「経済的に独立したい理由は、仕事を辞めたいからじゃない。働くのは大好きよ。でも家族に経済的負担をかけずに、事業を立ちあげたいと思って」

その女性が言うのを聞きながら、僕はテイラーが共感できる相手を見つけたことに心からほっとした。

その夜、ベッドに入ったあと、ずいぶん短いあいだに人生ががらりと変わってしまったね、とテイラーとふたりで笑い合った。いまの僕らは、進んで反消費主義と経済的独立の虜(とりこ)になった人たちと4日間も森のなかで過ごす選択をしたばかりか、彼らを〝同志〟だと感じていた。

テイラーの視点：マスタッシュアンと化粧品

FIREを始めてから、ずっと自分がそのライフスタイルに馴染(なじ)めていないと感じていた。典型的なカリフォルニアっ子（ほんとはシアトルっ子改めカリフォルニアっ子だけど）の私は、〝自然のなかで暮らす倹約家〟たちから、物に執着し、見た目を気にすることを批判されている気がして仕方がなかった。新しいライフスタイルでうまくやっていくためには自分を変えなくてはならないのに、私は変わりたくない――これが最大の不安だった。

でも、キャンプ・マスタッシュに参加して、FIREコミュニティには、いろいろな人がいるとわかった。自分で髪を切る人もいれば、ブランド物のバッグを持ったやり手のキャリアウーマンもいる。それを見て、FIREムーブメントで重要なのは、自分が計画的な選択をすること、人を批判することじゃないんだ、と気づいたの。

そして驚いたことに、いつのまにか自分を変えようという気持ちになっていた。私にとっては、美味しい料理やワインを味わうほうが、高価な服を着るよりもはるかに大事（自宅で仕事をしているからなおさら！）。いまの私は、服や化粧品にかかる費用を素敵な家を購入する予算に回したいと思っている。


キャンプ・マスタッシュに参加して一番の収穫は、多様な経験ができたことだ。参加者のなかには、何年も前に経済的独立を果たし、貯金や投資に関して考えることはほとんどなくなったが、仲間と過ごすためにキャンプに来たと、きまり悪そうに認める人々もいた。その一方で、FIREのことを知ったばかりで、倹約生活がどんなものかまだぴんとこない人々、配偶者が協力する気にならないと嘆く単身参加者もいた。まず、それぞれが「こんにちは、私はだれだれ、〇年後に経済的独立を達成する予定です」と自己紹介をする。自分の職業をあとから付け足す人もたまにいたが、誰も人の職業など気にしているようには見えなかった。

最初の24時間で僕がした会話も、実に様々だった。郊外の土地の売買（いいね、面白そうだ）、持続可能なプロテイン源としてコオロギを食べること（絶対いやだ）、安く旅行する方法（コツが知りたい）、ＦＩＲＥの特異さを理解できる会計士を見つけたい（うん、僕もだ）など。〝ケチな変人〟になった気がして落ち込む話も出たし、収入の70パーセントを貯金しながら交際相手を探す難しさをこぼす人もいた。エンジニア、夫婦、20代の独身男性。立場の似通った人は大勢いても、それぞれが語るＦＩＲＥストーリーはどれひとつとして同じではない。

ワークショップでは、子どもたちを育てながらいかにして経済的独立を達成するか、商業用不動産への投資、ジオアービトラージを利用して健康保険を節約する方法、投資で確実に最大の利益を上げるための様々なドローダウン（訳註：資産運用において損失が発生して、資産総額が減少すること）対策などが取り上げられた。平等なＦＩＲＥコミュニティの性質に沿って、どのワークショップも参加者が運営し、大きなプレゼンテーションはひとつもなく、パワーポイント・スライドもマイクもなし。全員で丸くなって座り、学び、自分たちの経験を分かち合った。

キャンプ初日は、ＦＩＲＥと特権に関するワークショップに参加した。そこでは、ヴィッキー・ロビンが、健康保険の取り組み、ロビー活動、小学校で経済観念教育を推進するなど、僕ら早期リタイア組が手を取り合えば社会を変えることができると力説した。このセミナーで開催されるセッションは、金銭だけにフォーカスを当てているわけではない。僕は、キャンプ・マスタッシュの共同主催者ジョーが運営する〝ヴィム・ホフ・メソッド〟の基本に関するワークショップにも参加した。〝アイスマン〟の通称で知られるオランダ生まれのヴィム・ホフは、特殊な呼吸法で神経系および免疫系をコントロールすれば、極度の低温に耐えられる（エベレスト山に短パンで登るなど）ことを証明した。これが経済的独立となんの関係があるのか、って？ 参加者のひとりがこう言った。

「自分の健康を自分で管理することだからさ」

べつの参加者がこの発言を補ってくれた。

「マスタッシュアン哲学とは最大限の幸福を得ることだ。方法は違うが、ヴィム・ホフも同じことをしているんだよ」

FIREの基本理念（自分が価値を置くもの以外にお金を使わない。人と自分を比べず、社会で主流となっている生き方・考え方に疑問を持つ）が、健康、幸福、精神力など、人生の様々な面に適応されているのを知って、非常に勉強になった。

コロラドのオープニングパーティの時と同じく、Mr.マネーマスタッシュことピートは会話の中心になることはなく、様々な輪に顔を出していた。最初の晩、到着した人々を立ち上がって迎えることもなかった。また、〝教祖〟として口を出すどころか、たいていは部屋の隅でビールを飲みながらマスタッシュアンのひとりと静かに話していた。

実際、ピートはこのイベントの主催者のひとりでさえなかった。あとで知ったのだが、ほかの人たちと同じように参加を申し込んだという。週末のあいだ、熱烈なファンに囲まれて静かにビールを飲むピートを見ていると、自分がどう思われるかなどまるで気にせず、経済的にも社会的にも真に自由な人生を送っていることがとてもよくわかった。

・
・
・

このセミナーの目玉イベントは、サイ山に登るハイキングで、去年の参加者は週末のあいだその話でもちきりだった。往復およそ13キロのこのトレイルは、たった6キロ半で標高900メートルあまり登るとあって、レーニア山頂を目指す登山者の足ならしとしてよく利用される。体力があれば4時間ほどで往復できるから、暗くなる前にログキャビンに戻ってこられる。山登りに不慣れな場合は帰りが遅くなるが、キャンプ・マスタッシュには、〝夕食に間に合わない人の食事を残しておくこと〟という登山に関するルールさえあった。

我慢強く、自分を厳しく律し、こうと決めたらやり遂げる精神力。これらはみなFIREコミュニティ（とくにマスタッシュアン）が高く評価する特徴だ。彼らは暖房費を節約するために冬は4枚も重ね着し、雪が30センチ積もっていても自転車で通勤する、といった話で盛り上がった。もちろん、キャンプに参加している極端なマスタッシュアンと同じ数だけ、ごく平均的な家に住み、冬は暖房を入れて快適な20度に保つ僕らのような〝ふつうの〟夫婦がいる。しかし、キャンプの参加者にとって、この登山はたんなるハイキング以上のもの。持久力のテストであり、アウトドア・アクティビティを楽しむチャンス、困難ではあるが見返りの大きいＦＩＲＥの旅の象徴でもあるようだった。

いつもの僕らなら、こういうチャレンジには勇んで挑戦する。だが、今回はハイキングに参加せず、いくつかインタビューを行い、ヴィッキーともゆっくり話すことにした。それに、テイラーとふたりでのんびりする時間もほしかった。キャンプの開始と同時に、次から次へとワークショップやイベントに参加していたから、到着してからふたりで息をつく時間がほとんどなかったのだ。ハイキングに行かないという決断ひとつを取っても、経済的独立の旅を始めてから僕らの意識が変化したことがわかる。以前なら何も考えずに同調していた活動や決断を、吟味するようになったのだ。

〝本当に山に登りたいか？　それとも日向ぼっこをしながらふたりの時間を楽しみたいか？　本当に新品のベビーカーが必要か？　それとももう1年いまのベビーカーで大丈夫か？　夢の家が必要なのか？　それとももっと慎ましい家で妥協できるだろうか？〟

ＦＩＲＥの旅を始めたときは、稼いだお金を計画的に使うことしか考えていなかったが、いまはその段階を過ぎていた。よく考えて時間を使い、一緒に過ごす相手を選び、今後の人生について計画的に話し合うようになっていた。これは考えもしなかった喜ぶべき変化だ。僕らは自分たちが理想とする人間像に近づきつつあった。

その夜、キャンプファイアを囲んでいると、みんなが大汗をかき、疲れきった顔でハイキングから戻ってきた。途中で引き返したくなったが仲間に説得されて登り続けた、と口々に言いながら、無事山頂まで登れたことをハイタッチして喜び合っていた。「もう二度と行かない」とひとりが言えば、べつの誰かが「私は今年で4回目よ」と自慢した。

僕は満ち足りた沈黙に包まれてキャンプファイアを囲むマスタッシュアンを見まわした。体型も年齢も様々な男女がみな、同じ旅をしているのだ。住んでいる場所もみな違い、信念や性格もそれぞれ異なるが、僕らの願いはひとつ。こういう時間をもっと持ちたい――誰もがそう思っていた。

第13章

広がる火（FIRE）

CHAPTER 13 : THE FIRE IS SPREADING

最終章は、ベンドの我が家にあるホームオフィスで書いている。窓に目をやれば、きらめく青空へとそびえるポンデローサマツの森が見える。こんな上天気の日は、ほとんどの住人がサイクリングやハイキング、スイミング、ジョギングなどを戸外で楽しんでいるにちがいない。これを書き終えたら、僕もそうするつもりだ。遊ぶ約束をしている近所の友だちの家にジョヴィーを自転車で連れていくとしよう。

今日は2018年8月8日。よりシンプルで自由な人生を見つけようと決意して、テイラーと僕がサンディエゴをあとにしてから、きっかり1年経った。この12カ月、僕らは持っていた半分以上のものを手放し、新しい街で暮らすために夢の街を出て、収入の70パーセント以上を貯金に回してきた。そのあいだには嬉しいこともつらいこともあった。良かった点は、純資産が30万ドルを超えたことと、FIREを達成した人たちと知り合い、ドキュメンタリーを撮影し、新しい友人を作り、エクアドルへ旅をし、実家の両親たちと貴重な時間を過ごしたことだ。だが、コロナドに残してきた友人たちを忘れたことはなかった。倹約生活を送っている自分が変人に思えたこともあったし、ソファや折り畳みベッドに寝る生活が何週間も続き、この選択はとんでもない間違いだったのではないかと不安に襲われることもあった。それに、物に執着する昔の悪癖が出たこともある。

先月、ついに僕らはドキュメンタリーの最後のシーンを撮り終えた。完成に漕ぎつけたときには、一抹の寂しさもあったとはいえ、深い安堵を感じた。ほぼ1年近く続いた撮影で、テイラーと僕はカメラを向けられるのに正直言ってうんざりしていた。僕らのＦＩＲＥの旅をドキュメンタリーにしようと考えたときは、カメラがこれほど煩わしいものだとは想像もしていなかった。気持ちを切り替えて前に進みたいときやすべてを頭から締め出したいときでも、カメラを向けられれば、いやでも自分の心を見つめ、内心の思いを語らなければならなかったからだ。

長期におよぶ撮影で、クルーは家族同然の存在になっていた。ジョヴィーはみんなの名前を覚え、「ジョージがお茶を淹れてくれたんだよ」と教えてくれたり、「ジッピー、また公園に行ける?」とねだったりした。撮影終了の打ち上げでは、撮影監督のレイモンド・ツァンが、ナツメヤシのベーコン巻きを手渡しながらこう言った。

「制作に1年以上かかれば、最後はうんざりして〝さっさと終わらせようぜ〟となるものだけど、今回はずっと撮影が楽しみだった。終わったら寂しくなるな」

僕はテーブルのまわりにいるひとりひとりを見ていった。彼らに会えなくなったら、どんなに寂しくなることか。

〝夢の家〟のオファーを取り下げたあと、テイラーと僕はリストにあるほかの街へ移ることも考えた。だが、やはりベンドに住みたいと考え、7月に42万ドルで美しい家を買った。夢のような家や車、電化製品を手にするより、夢のような暮らしを送るほうが何倍も幸せだと気づいたのだ。僕らの新しい家は交通量の多い通りに面している。広さも140平米で、寝室は3つ、裏庭もない。だが、予算内に収まったし、店やカフェには歩いていける。自転車やアウトドア用品を入れるガレージもある。FIREを達成するには、最終目標を見据えて妥協しなくてはならない。〝これを買うのは、経済的独立と同じくらい重要か？〟と常に尋ね、答えが〝ノー〟なら手にした品物を棚に戻す必要がある。

僕らはベンドに落ち着き、ジョヴィーも幼稚園に通い始めた。テイラーも僕も新しい友人を作り、車が1台しかない生活にも慣れた。思ったよりも貯金が増え、FIRE達成までの期間が、また1年縮まった。

どんな状況かって？　いいとも、1年前といまの違いをまとめてみよう。コロナドにいたとき、テイラーと僕は税引き後14万2000ドルの年収があり、およそ12万ドルの生活費で暮らしていた（271頁・図①参照）。同じ暮らしを続けていれば、僕が72歳、テイラーが71歳に

図①：1 年前の生活

退職までにかかる年数：**34.3 年**
貯蓄率：**16%**
年間支出：120,000 ドル
年間貯蓄額：22,000 ドル
毎月の出費：10,000 ドル
毎月の貯蓄額：1,833 ドル

図②：現在の生活

退職までにかかる年数：**10 年**
貯蓄率：**58%**
年間支出：60,000 ドル
年間貯蓄額：82,000 ドル
毎月の出費：5,000 ドル
毎月の貯蓄額：6,833 ドル

なるまで働き続けなくてはならなかった。その頃にはジョヴィーは42歳になっていて、おそらく自分の子どもを持っているだろう。

だが、ベンドで現在のライフスタイルを維持すれば、こうなる（271頁・図②参照）。

さきほども書いたように、経済的独立までの年数は最初の計画よりも1年縮まった。夫婦で今後も同様の収入と現在の貯蓄率を維持すれば、僕が44歳、テイラーが43歳、ジョヴィーが13歳のときに、経済的独立を果たすことができる。このままのペースで進めば、退職は遠い未来に起こるのではなく、手の届く目標となるのだ。その見込みが大きな自信になってくれた。僕らはいま、もっと収入を増やそうという意欲に燃えている。収入が増えれば、自分の時間を好きなように使える日がそれだけ早くやってくるのだから。実際、経済的な自由はぐんと近くなった。〈ChooseFI〉のブラッド・バレットは僕にこう言った。

毎朝、子どもたちをバス停に送り迎えできる幸せを噛(か)みしめているんだ。それに毎晩、子どもたちの宿題を見てあげられることもね。学校の行事にも、毎回率先して参加できる。自分がどんなに恵まれているかは、もちろんわかっているとも。郊外に住む中流家庭では、ほとんどの父親が週40～50時間以上は働いているうえに、通勤にもかなりの時間を費やしている。僕の〝通勤〟はバス停まで。通りをほんの100歩ばかり歩くだけだ。毎朝、僕と妻は子どもたちをぎゅっと抱きしめて、手を振る。その幸せを毎日味わえるなんて、まさに奇跡さ。

僕もジョヴィーともっと一緒に過ごせる日が待ちきれない。しかも、いまは金銭的余裕ができたおかげでストレスがぐんと減り、娘と過ごす時間も昔よりずっと充実している。

FIREに出会ったとき、僕らの純資産はおよそ19万ドルだった。それ以来、投資額と純資産はずいぶんと増えた。現金が6万ドル（1年の旅の予算を立てたときに予測した額と同じ）貯まったおかげで、少なくとも10年は暮らす予定の、すごく気に入った家の頭金になった。家を買ったあともまだじゅうぶん余裕があるから、お金の心配をせずに夜はぐっすり眠ることができる。どうやら自分の価値観を大事にすればするほど、支出は少なくなるようだ。だから先月よりも今月、今月よりも来月と貯金できる額が増えていく。これは、僕らにとってまったく新しい自由だ。ぜひとも、たくさんの人々に味わってもらいたい。

現在の財政状況を明確にするために付け加えると、最初の住みたい街リストにあった都市のうち、ベンドはおそらく一番生活費の高い街だ（僕らの性格上、仕方ない！）。だが、ベンドで暮らすメリットを考慮し、ほかのところで切り詰めるという決断を意図的に下した。もちろん、夢の家に目がくらみ、もう少しで危うく予算をはるかに超える物件を買うところだったが、土壇場で間違いに気づき、自分たちのライフスタイルに相応しい家が見つかるのを辛抱強く待った。おかげでローンの支払いは毎月２４００ドル。これは最初に立てた予算とほぼ同じ額だから、我が家の年間支出は5万ドルから6万ドルに抑えられる見込みだ。退職までの年数は多めに見積もって6万ドルで計算している。最終的にはおそらくそれ以下になると思うが、もしも6万ドルめいっぱい使ったとしても、58パーセントという貯蓄率を達成できる。まったく信じられない！　1年前といまの状態を比べたときにこみ上げてくる解放感は、とても言葉では言い表せない。ＦＩＲＥはなんと大きな可能性を秘めていることか。

テイラーと僕は、経済的独立を果たしたあと何をしたいかも考え始めた。テイラーは何か月かイタリアに住みたい、ピアノを習いたい、地元の老人ホームでボランティアをしたいと言う。僕は環境問題に注意を向けたいし、父とその友人たちの特殊部隊での経験談を語るポッドキャストも始めたい。ＦＩＲＥをテーマにしたポッドキャストを始めてもいいかもしれない！　旅行したい場所のリストをテイラーと作りながら、ＦＩＲＥで知り合った友人たちにも会いに行きたいと話した。〈Afford Anything〉のポーラが言ったとおりだ。

経済的独立を果たす人々は、概してとても野心的よ。経済的自立を手にしたら仕事を

辞めるだけじゃなくて、自由になった時間を有意義なことに使いたくなる。音楽アルバムを作るとか、外国語を学ぶ、子どもたちを自宅で教育する……。そんなふうに様々なプロジェクトに取りかかるの。毎月の生活費を稼ぐ心配をせずに斬新なプロジェクトに打ち込めるようになって初めて、大胆でクリエイティブなことが達成できるんでしょうね。

ありがたいことに、家族や友人たちの多くが、僕らの変化を見て、ＦＩＲＥを好意的に捉えるようになった。たとえば、いとこのチャッキーは自分の個人資産を整理し、新しいボートのローンを当初よりもはるかに早く完済する手続きを取って、退職までの年数を10年から15年縮めたという。最近、国際インデックスファンドに興味を持ったチャッキーから、いくつか質問をされた。さらに、僕らのＦＩＲＥストーリーを聞いた親しい友人の多くが、経済的独立を目指す旅に加わった。僕の両親も、投資や出費に対してこれまでよりはるかに思慮深くなった。〈ChooseFI〉のブラッドとジョナサンが言うように、〝火（FIRE）が広がっている〟のだ。

多くの意味で僕とテイラーの物語はありふれている。標準的な中流階級の夫婦である僕らは、将来〝適度な〟贅沢と冒険と成功に恵まれた人生を送りたいと思いながら、何不自由なく育った。そして概ね、そのとおりになった。ただ、贅沢と冒険と成功がどれほど高くつくか、その生活を日々維持するのに汲々として実際に人生を謳歌する時間と自由がなくなることまでは考えていなかった。しかも犠牲になるのは僕らの幸せだけではない。過剰な消費を繰り返すストレスに満ちた暮らしは、娘を育てる時間や慈善活動をするエネルギーも奪っていた。それから、僕らはＦＩＲＥと出会い、生活を変えようと一大決心をした。まさに１８０度、方向転換をしたのだ。

その後は、ほぼＦＩＲＥの枠組みに忠実に従った。以前より安い家を見つけ、２台の自家用車のリース契約を解除し、手頃な価格の車を１台、現金で買った。いまでは外食はほとんどしなくなり、高級ワインやジムの会員権、スパの予約、お洒落な贈り物などの贅沢に費やす出費は大幅に削っている。次から次へとアマゾンの段ボール箱が届くこともない。僕がこの１年で会ってきたＦＩＲＥを目指す人々は、みな似たようなストーリーを持ち、似たような選択をしてきた。僕らと彼らの主な違いは、僕らがＦＩＲＥのスタートとほぼ同時に１年にわたる旅に出て、それを記録し、１冊の本とドキュメンタリーにまとめたことだけだ。

きみがすでに経済的独立を目指しているとしたら、きみなりのストーリーがあるだろう。Ｆ

ＩＲＥを達成するのは、僕らよりも容易いかもしれないし、難しいかもしれない。あるいは、僕らとはまったく異なる旅をしているかもしれない。しかし、きみがひとりではないことを知ってほしい。本書の目標は、僕ら一家の旅を模範として語ることでも、この選択を下した僕ら一家が〝特別〟だと自慢することでも、究極の倹約の頂点を極めた手本だと主張することでもない。だって、僕らはそのどれでもないんだから！　もっと倹約している人々は、世の中にたくさんいる。

僕の目標は、初心者が感じる不安や心配、意見の食い違いや誤りも含めて、ごくごく一般的なＦＩＲＥの道のりを示すことだ。収入の範囲内で生活できる人間なら誰でも経済的な自由を手に入れられることを、多くの人々に知ってもらいたい。グーグルの上席副社長だろうと、カフェの店員だろうと関係ない。住んでいる場所が生活費のばか高い街でも、物価の安い郊外でも関係ない。はるか彼方に引っ越す必要も、仕事を辞める必要もない。やりたくないことはいっさいやらなくていい！　自分が本当に欲しいものだけにお金を使う、それだけでいいのだ。簡単ではないかもしれないが、とてもシンプルじゃないか？　きみが本書を読んで、自分にもできると思ってくれることを願っている。

偶然にもＦＩＲＥコミュニティを知ったことは、僕にとって最高に素晴らしい転機となった。おかげで、苦労はたくさんあったが、驚きと感激に満ちた1年を送ることができた。一番つらかった時期を振り返っても、胸を満たすのは感謝だけだ。方向転換するチャンスを与えられなければ、いまの僕はないからだ。

あのままコロナドで暮らしていたら、Mr.マネーマスタッシュの話を聞かなかったら、一緒にこの冒険に飛び込もうとテイラーを説得できなかったら、僕はどうなっていただろう？　おそらく1年前と同じようにあくせく働き、多額の出費に頭を抱えていたにちがいない。

ＦＩＲＥは表面的には「お金」に関する旅だが、実際には、はるかに多くの要素がともなう。ＦＩＲＥへ至る道とは、仕事以外に生きがいを見つけることであり、日々の生活にその生きがいを取り入れるツールとして「お金」を使うことでもある。これがＦＩＲＥの素晴らしいところだ。自分が消費まみれの贅沢な暮らしという〝罠(わな)〟に囚(とら)われていることにいったん気づいたら、もう以前の自分には戻れない。実際、あらゆる場所に罠が見えてくる。義務化した忘年会、マイカーの購入ローンを宣伝する道端の立看板(ビルボード)、毎朝の通勤ラッシュに耐えるのはこのためだとばかりに建つ新築の建売住宅、日曜日の夕方になると決まって感じる憂鬱。

同様に、スケジュールや給料や出世から解き放たれた自由な人生があることをいったん知ってしまえば、もうもとの人生には戻れない。

〝自分の時間を何に使いたいのか？〟

〝一番幸せを感じるのはどんなときか？〟

人生において何よりも大切なこの問いかけをしたあとは、その答えを無視することはできない。

本書を手にしたきみも、ＦＩＲＥの原則を自分の生活にあてはめ、いまや世界に広がったこの素晴らしいムーブメントに加わってくれることを願っている。それぞれ進むペースが違うし、やり方も異なるが、ＦＩＲＥ実践者である僕らはみな、人生を変える大きな問いを自分たちに問いかけている。

経済的な自由を手にするために、どこまでやれるだろうか？

FIREに至る7つのステップ

THE SEVEN STEPS TO FIRE

FIREを発見したばかりで、一日も早く実践したいとうずうずしている人は、たいてい「まず何をすればいい？」と尋ねてくる。FIREは、ジェイエル・コリンズの提唱する〝収入よりも支出を減らし、残ったお金を投資し、負債を避ける〟に集約される。だが、なかには（僕も含めて）一歩ずつ導いてほしいと思う人たちもいるだろう。そこで、大勢の実践者にインタビューした経験を踏まえ、大半の人々がたどる道を7段階に分けてみた。この7つのステップはあくまで手引きだから、役に立つ部分を活用し、自由に改良してもらってかまわない！

ステップ1：資産がいくらあるかを計算する

まずは自分の純資産を確定することから始めよう。面倒かもしれないが、このステップを飛ばすことはできない。純資産とは、すべての資産（現金、銀行預金、退職年金基金、投資額、持ち家や車など資産価値のあるもの）の総額から負債（学生ローン、クレジットカードの負債、車のローン、住宅ローンなど）を引いた金額である。

ステップ２：月々の生活費と貯金額を割り出す

収入を何に使っているのか？　食料品やガソリンなど日常の出費に払う金額を知ると、ほとんどの人がショックを受ける。少なくとも僕はショックを受けた。だが、何にいくら使っているかを知るまでは、賢く支出を減らすことはできない。お金の行方を1ドル残らず追跡しよう。家計簿やノートに書き出してもいいし、オンラインの計算式を利用してもいい。どちらにしても、必ず続けること。自分の消費傾向を正確に把握するためには、少なくとも3か月は記録する必要がある。また、リタイア計算式も使おう。現在のデータを入力し、実行可能だと思う仮の予算、あるいは目標にしたい予算を立てて、リタイアまでの年月がどれだけ縮まるかを計算してみよう！　この計算式から導かれた答えは、ＦＩＲＥを目指し始めた頃のテイラーと僕の大きなモチベーションとなってくれた。

ステップ3：毎日の出費を減らす

貯蓄率を上げる一番簡単な方法は、細かい出費を切り詰めることだ。ケーブルテレビ代、ハウスクリーニング費、毎日のコーヒー代、電話代にインターネット料金、ワインクラブやジムの会費など。どれも少額の出費かもしれないが、まとまればばかにならない額になる。ただし、自分が価値を置いているものを切り詰める必要はない。自分の価値観に沿ってどれを切るかを決めること。1週間のなかでどんなときに幸せを感じるか、10個書き出してみよう。もうひとつ驚くほど効果的な方法は――オンラインで買い物をするとき、カートに入れた商品を3日間そのままにしておくこと。3日後もまだ買うべきだと思うのなら、本当に必要なものだ！テイラーと僕はこの方法で、年間数千ドルも支出を節約した（国内を転々としていたときはとくにそうだった）。

ステップ4：住居費、交通費、食費を切り詰める

貯蓄率を大幅にアップするには、いくつか大きな変化に取り組まなくてはならない。たとえ

ば、ルームメイトを見つける、いまよりも小さな家に引っ越す、中古車を選ぶ、電車やバスで通勤する、外食をやめ食事は家で作る、など。こうした倹約を合わせると、貯蓄率が30パーセントかそれ以上伸びる。最初は小さなことから始めてもいいが、先延ばしにせず一気にやったほうがうまくいく確率が高い。ステップ４は最大の変化だから、ＦＩＲＥをスタートさせ、倹約になじんでから取りかかるといい。勇気はいるが、一番楽しいステップでもある。新たな目標に合わせて人生を再編するチャンスだ。

ステップ５：貯金をうまく投資する

貯金を銀行口座に寝かせたままでは、利益を得るチャンスを刻々と逃していることになる。高金利のローンを完済するか、インデックスファンド（やほかのファンド）に投資するか、不動産を買うか、やり方はともかく、手持ちの資産は最大源の利益を生むように運用すべきだ。

ステップ６：収入を増やす

多くのＦＩＲＥブロガーが、自分の経験を分かち合うと同時に、ブログの広告やツール、提携リンクから収入を得ている。余分な収入があれば、ＦＩＲＥを達成するのがその分早くなる。収入を増やすのは必須ではないが、ＦＩＲＥを目指している人々の大半は、生活費に切り詰める余地がなくなると、貯蓄率を上げるために収入を増やそうとする。副業を始めるといった正攻法だけでなく、アルバイトや単発の仕事などで臨時収入を得る方法もある。

ステップ７：ＦＩＲＥコミュニティを見つける

せっかく自由になる時間を取り戻したとしても、一緒に過ごす相手がいなければ何になる？同じ価値観を持つ仲間と知り合うのは、ＦＩＲＥを続けるうえで（壁にぶつかったときはとくに）とても重要だ。〈ChooseFI〉や〈Mr. Money Mustache〉のフォーラムをチェックしてみよう。世界各地で催されているミートアップでは、同じ目標を持つ仲間と直接会って話すこともできる。

謝辞 ACKNOWLEDGMENTS

ＦＩＲＥの旅で学んだ教訓を思い返し、まず頭に思い浮かぶのがこの言葉だ。

「人のために労力を惜しまず、期待はしないこと」

本を書き、ドキュメンタリーを制作し、家族を連れて別の州に引っ越す、これを自分ひとりの力でやり遂げることはとてもできないと、僕はずいぶん早い時期に学んだ。妻のテイラーも、期待を膨らませすぎてはいけないと本能的にわかっていた。そして、旅の結果がどうであれ、自分たちの人生はＦＩＲＥを知ってから向上したと思っているし、たとえこれが失敗に終わっても僕への愛情はまったく変わらないと言ってくれた。その必要が生じれば昔のようにフルタイムの仕事に戻ればいいだけだ、と。それから、ＦＩＲＥムーブメントに賛同する人々がとても寛容であることもわかった。ＦＩＲＥの最良な実践法、戦略、テクニックが細かく述べられている様々なブログ、ポッドキャストを視聴すれば、彼らの寛大さは一目瞭然だ。そこで僕は、このプロジェクトがいかに自分たちのためになるかにフォーカスを当てるのではなく、この企画を通してどうやったら人の役に立てるかを探ることにした。相手から吸収するのと同じくらいたくさん相手にも教えられる、そういった共生関係を求めたのだ。しかし、これは不可能だと判明した。このプロジェクトに貢献してくれた人々に、じゅうぶんな恩返しなど決してできない。スタート時から僕らを応援し、支えてくれた人々には、いくら感謝しても足りない。この経験は、思いやりの素晴らしさと、僕らの人生とＦＩＲＥコミュニティ全体にいかに素晴らしい人々があふれているかの証となった。

ジョヴィー、これはすべてきみのためだ。僕らがこの本に記した教訓から学び、最善の人生を歩んでくれることを願っている。ずっとずっと愛しているよ。それから、最初から僕と僕のクレイジーなアイデアを支えてくれた、美しくて上品で愛情深い妻、テイラー。ＦＩＲＥの旅に僕と一緒に飛び込んでくれてありがとう。きみは世界一の相棒だ。愛しているよ。それから、両親のリラ・リーケンズとトム・リーケンズ。僕の創造性を育み、自由に何でもやらせてくれて感謝している。僕がまともに育ったのは、ふたりが何があろうと揺るがぬ愛情を注いでくれたおかげだ。素晴らしい規範となってくれてありがとう。心から愛している。ジャン・スコット、僕を常に理解してくれてありがとう。あなたは家族一賢い助言者であり、最高の義母だ。ゲイリー・スコット、大きな一歩を踏み出さなければならないときにいつも自信を与えてくれて感謝している。あなたのような立派な父親になれることを願うばかりだ。それから、マーシーとチャールズ、マイシンとエラのグレン一家、１８０度人生を変えようとする僕らを辛抱強く応援してくれてありがとう。

エマ・パッティー、きみの才能は留まるところを知らない。このプロジェクトに協力してくれてありがとう。一生かかっても返せない借りができたね。きみのおかげで、プロジェクトの楽しさがぐんと増した。きみを友人と呼べることができて本当にラッキーだ。そして、このプロジェクトに火をつけ、高みを目指し壮大な夢を抱く方法を示してくれたマット・ブランドにも感謝する。寛容でい続けてくれたオンリー・トゥデイのレイモンド・ツァンとクルーのみんな、目的を最優先することを教えてくれてありがとう。あのＢＢＱパーティは、最高だったぞ。最初からずっと支え続けてくれたブラッド・バレットとジョナサン・メンドンサ――このプロジェクトが実現したのは、きみたちふたりの信頼と熱意、応援とビジョンがあったからこそだ。友よ、火（FIRE）はたしかに広がっている。出版社ニューワールド・ライブラリーのジェイソン・ガードナーほか編集部のみんなには、僕のビジョンを信じ、最後まで見届けてくれたことを感謝したい。一緒に仕事ができて光栄だった。次の企画も楽しみにしている。トラヴィス・シェイクスピア、常に現場の緊張を和らげ、僕らのストーリーが的確に伝わることに気を配りながら、障害を予測し、助けを差しのべてくれてありがとう。きみと一緒にこのドキュメンタリーを作ることができて、僕はとても幸運だ。ピート・アデニー、一番必要としているときにガツンと目を覚まさせてくれてありがとう。ブランドン・ガンチ、きみが自分の時間をどれほど大切にしているか知っているからなおさら、僕のためにこれほど多くの時間を費やしてくれたことがいまだに信じられない。この借りは一生かけて返していくつもりだ。ヴィッキー・ロビン、テイラーと僕を開眼させてくれたウィッビー・アイランドの完璧な1日のことは一生忘れない。生涯記憶に残る話を聞かせてくれてありがとう。決して止まらずに進み続けると約束する。ロドリーゴ・カルデロン。思慮深く慎ましいきみは、僕が一番必要としていたときに現れ、きみにしかできない方法でこのプロジェクトに命を吹き込んでくれた。本当に貴重な人だよ、アミーゴ。そしてマルコ・コレイア、いつも進んで手を貸してくれてありがとう。偉人のひとりであるきみが大統領になるのを楽しみにしている。ジェイエル・コリンズ、投資に関する世界最高の本を書いてくれたこと、そして僕らを導き、笑わせ、応援してくれたことに感謝する。ＦＩＲＥを目指す旅がとびきりの経験となったのは、あなたのおかげだ。イルミネーション・ウェルスのマット・リンキーとスタッフのみんな、きみたちのプロ意識には脱帽する。応援し、導いてくれてありがとう。スティーブン・ベリー教授、僕を信じ、僕のために危険を冒してくれてありがとう。あなたからは人を支える大切さを教わった。

そして最後に、ベルビューの家族や友人たちと、アイオワ出身の仲間たちに、心から感謝したい。アイオワっ子であることを心から誇りに思う。アイオワっ子万歳！

注釈 END NOTES

◉ＦＩＲＥとは何か

１６頁：ソクラテスは「幸せの秘訣は多くを求めるのではなく、少なきを楽しめる能力を磨くことにある」と語り

Quotes by Socrates, Confucius, and Aristotle from Chris Weller, "12 of History's Greatest Philosophers Reveal the Secret to Happiness," Business Insider, May 18, 2016, http://www.businessinsider.com/12-philosophers-share-quotes-on-happiness-2016-5

１６頁：現に最近のリサーチも、「生涯を通じて人に喜びを与えるのは富や名声ではなく、人との深い関わり合い」

Liz Mineo, "Good Genes Are Nice, but Joy Is Better," Harvard Gazette, April 11, 2017, https://news.harvard.edu/gazette/story/2017/04/over-nearly-80-years-harvard-study-has-been-showing-how-to-live-a-healthy-and-happy-life

１８頁：この国の就労者の半分が自分の仕事に不満を持っているそうだ

Pew Research Center, "How Americans View Their Jobs," October 6, 2016, http://www.pewsocialtrends.org/2016/10/06/3-how-americans-view-their-jobs

２０頁：イギリスの総合学術雑誌〈ネイチャー〉に掲載された統計によれば、人が幸せを感じる最も望ましい収入額というものが存在する

Andrew T. Jebb, Louis Tay, Ed Diener, and Shigehiro Oishi, "Happiness, Income Satiation and Turning Points around the World," Nature Human Behavior, January 8, 2018, https://www.nature.com/articles/s41562-017-0277-0

２４頁：２０１７年度は、消費者債務が過去最高の13兆ドル近くに達し

Alan Kline, "Slideshow: The Warning Signs in Consumer Credit Data," American Banker, February 11, 2018, https://www.americanbanker.com/slideshow/the-warning-signs-in-consumer-credit-data

２４頁：２０１６年度の統計によれば、69パーセントの国民は１０００ドル以下の蓄えしかなく

Niall McCarthy, "Survey: 69% Of Americans Have Less Than $1,000 In Savings [Infographic]," Forbes, September 23, 2016, https://www.forbes.com/sites/niallmccarthy/2016/09/23/survey-69-of-americans-have-less-than-1000-in-savings-infographic/#5c8e0beb1ae6

２５頁：数年前、金融機関ウェルズ・ファーゴが行った調査によれば、「お金」の話は、

Chris Taylor, "The Last Taboo: Why Nobody Talks about Money," Reuters, March 27, 2014, https://www.reuters.com/article/us-money-conversation/the-last-taboo-why-nobody-talks-about-moneyidUSBREA2Q1UN20140327

◉第１章：「仕事をして、食べて、寝る」の繰り返し

４０〜４１頁：〝Mr.マネーマスタッシュ——年間2万５０００ドルから2万７０００ドルで優雅に生きる方法〟という変わったタイトルのエピソードに興味を引かれた

Tim Ferriss, "Mr. Money Mustache — Living Beautifully on $25–27K Per Year," The Tim Ferriss Show, February 13, 2017, https://tim.blog/2017/02/13/mr-money-mustache

４５頁：〝安全な引き出し率〟もしくは〝4パーセントルール〟

Philip L. Cooley, Carl M. Hubbard, and Daniel T. Walz, "Retirement Savings: Choosing a Withdrawal Rate That Is Sustainable," AAII Journal, February 1998, https://incomeclub.co/wp-content/uploads/2015/04/retirement-savings-choosing-a-withdrawal-rate-that-is-sustainable.pdf

◉第2章：１００万ドルのアイデア

４９頁：子どもが3人もいるのに30代で引退した夫婦

Kathleen Elkins, "Couple That Saved $1 Million to Retire in Their 30s Share Their No.1 Money Saving Tip," CNBC Make It, April 10, 2017, https://www.cnbc.com/2017/04/10/couple-that-retired-in-their-30s-share-their-no-1-money-saving-tip.html

４９頁：ＩＴ業界で稼いだ給料の70パーセントを貯金して

Kathleen Elkins, "This Couple Retired in Their 30s and Are Now Traveling Full Time in an Airstream," CNBC Make It, October 19, 2017, https://www.cnbc.com/2017/10/19/couple-retired-in-their-30s-and-are-now-traveling-in-an-airstream.html

４９頁：自宅と４台の車を売却し

Anna Bahney, "This Couple Is on Track to Retire — before They Turn 40," CNN Money, June 7, 2017, http://money.cnn.com/2017/06/05/retirement/retire-early/index.html

４９頁：不動産投資をして29歳で退職した若い夫婦もいる

Emmie Martin, "These 30-Something School Teachers Retired with Over $1 Million after Only 8 Years of Work — Now They Travel the World," Business Insider, January 22, 2017, http://www.businessinsider.com/teachers-early-retirement-traveling-the-world-2017-1

５４頁：Mr.ことピート・アデニーがＦＩＲＥ計算式を説明するブログ記事へのリンクを貼りつけた

"The Shockingly Simple Math behind Early Retirement," Mr. Money Mustache, January 13, 2012, https://www.mrmoneymustache.com/2012/01/13/the-shockingly-simple-math-behind-early-retirement

●第3章：幸せを感じる瞬間ベスト10

60頁：結婚してまもなく、FIREを目指すブランドンの倹約ぶりがあまりにも極端なため、妻のジルは一切関わりたくないと反発したという

Mrs. Frugalwoods, "How NOT to Pursue Financial Independence," Frugalwoods, January 6, 2016, https://www.frugalwoods.com/2016/01/06/how-not-to-pursue-financial-independence

67頁：ポッドキャスト〈ChooseFI〉の「FIの柱」というエピソードがきっかけとなり、テイラーの意識が変わった

Jonathan Mendonsa and Brad Barrett, "The Pillars of FI," ChooseFI, May 1, 2017, https://www.choosefi.com/021-pillars-of-fi

●第4章：たかがコーヒー代、されどコーヒー代

82頁：参考にさせてもらったのは、Mr.マネーマスタッシュの〝早期リタイアを実現に導く驚異の計算式〟だ

Mr. Money Mustache, January 13, 2012, https://www.mrmoneymustache.com/2012/01/13/the-shockingly-simple-math-behind-early-retirement

90頁：〈Frugalwoods〉一家は、外出は1年に一度のみ

Mrs. Frugalwoods, "How We Broke Our Eating Out Habit in 9 Steps," Frugalwoods, July 6, 2015, https://www.frugalwoods.

com/2015/07/06/how-we-broke-our-eating-out-habit-in-9-steps

９０頁：〈ChooseFI〉ポッドキャストのブラッド

Jonathan Mendonsa and Brad Barrett, "Friday Roundup: Paul Case Study Part 4," ChooseFI, June 2, 2017, https://www.choosefi.com/025r-friday-roundup-paul-case-study-part-4

９０頁：Mr.マネーマスタッシュことピート・アデニーは、コストコ通いを推奨している

Mr. Money Mustache, September 30, 2011, https://www.mrmoneymustache.com/2011/09/30/is-a-costco-membership-worth-the-cost

９０頁：ウェブサイト〈Financial Mentor〉にある〝ラテ・ファクター計算機〟を使えば

"Latte Factor Calculator," Financial Mentor, accessed August 29, 2018, https://financialmentor.com/calculator/latte-factor-calculator

---

◉第５章：ＢＭＷとボートクラブ

９９頁：経済学者はこの心理を〝サンクコスト効果（コンコルド効果）〟と呼ぶ

"Sunk Cost Fallacy," behavioraleconomics.com, accessed August 29, 2018, https://www.behavioraleconomics.com/resources/mini-encyclopedia-of-be/sunk-cost-fallacy

１０８頁：Mr.マネーマスタッシュが〈賢い人間にぴったりの車10選〉で指摘しているように

"Top 10 Cars for Smart People," Mr. Money Mustache, March 19, 2012, https://www.mrmoneymustache.com/2012/03/19/top-10-cars-for-smart-people

---

◉第６章：さらば、コロナド

１２２頁：「ＦＩＲＥに関するドキュメンタリー」というタイトルのスレッドをレディット（米オンライン掲示板）で

"Documentaries Relevant to FIRE," Reddit (r/financial independence), accessed August 29, 2018, https://www.reddit.com/r/financialindependence/comments/80a2p7/documentaries_relevant_to_fire

１２２頁：Mr.マネーマスタッシュのブログ読者は２３００万人

Tim Ferriss, "Mr. Mustache — Living Beautifully on $25–27K Per Year," The Tim Ferriss Show, accessed August 29, 2018, https://tim.blog/2017/02/13/mr-money-mustache

１２２頁：経済的独立を目指すサブレディット（レディットのスレッド）には、これを書いている時点で40万近いユーザーがいること

"Initial Financial Independence Survey Results Are Here!," Reddit (r/financial independence), accessed August 29, 2018, https://www.reddit.com/r/financialindependence

１３４頁：この留守電を聞いたふたりがポッドキャスト内でドキュメンタリーの話題に触れてくれた

Jonathan Mendonsa and Brad Barrett, "Friday Roundup: Paul Case Study Part 4," ChooseFI, June 9, 2017, https://www.choosefi.com/026r-friday-roundup

◉第７章：旅の始まり

１４６頁：ジオアービトラージとは、ティム・フェリスが口にして有名になった言葉

"Introduction to Geoarbitarge," Alt Lifehack, June 15, 2009, https://altlifehack.wordpress.com/2009/06/15/introduction-to-geoarbitrage

◉第８章：インデックスファンドとは何か？

１６９頁：ジェイエルのブログ〈The Simple path to wealth（富に至る簡単な道）〉には〝株シリーズ〟のコーナーがあって

JL Collins, "Stock Series"（The Simple Path to Wealth), jlcollinsnh, accessed August 29, 2018, http://jlcollinsnh.com/stock-series

１７２頁：つい最近も、一からやり直せるとしたら最初に貯まった１００万ドルをどう投資するかと訊かれ

Tim Ferriss, "Picking Warren Buffett's Brain: Notes from a Novice, The Tim Ferriss Show, accessed August 29, 2018, https://

tim.blog/2008/06/11/061108-picking-warren-buffetts-brain-notes-from-a-novice

１７２頁：２０１４年のベストセラー、『世界の投資家は何を考えているのか：「黄金のポートフォリオ」のつくり方』〔三笠書房 刊〕のなかで、著者アンソニー・ロビンスは

Tony Robbins, Money: Master the Game (New York: Simon & Schuster, 2014), 488–89

１７５頁：しかし、ブラッド・バレットが〈ChooseFI〉で、この計算式について話すのを聞いて考えが変わった

Jonathan Mendonsa and Brad Barrett, "Let's Talk about Fees: Why Investment Fees Are Evil and How to Avoid Them," ChooseFI, December 23, 2016, https://www.choosefi.com/003-investment-fees-evil-avoid

●第９章：ＦＩＲＥの"学び"

１９０頁：世界でも最大規模のパーソナルファイナンス（個人資産管理）会議、ＦｉｎＣｏｎ

"Over 1,500 Personal Finance Experts and Enthusiasts to Gather at FinCon, 'the Comic-Con of Money,' in Dallas This October," PRLeap, October 10, 2017, http://www.prleap.com/pr/258254/over-1500-personal-finance-experts-and

１９６頁：前例になく上げ相場が続いていた

Michael Santoli, "Second Longest Bull Market Ever Aging Gracefully but Investors Wonder How Long It Will Last," CNBC, September 13, 2017, https://www.cnbc.com/2017/09/13/second-longest-bull-market-ever-aging-gracefully-but-investorswonder-how-long-it-will-last.html

１９８頁：最も人気があるのは、４０１ｋなどの課税繰り延べ退職年金基金からＩＲＡに移し、課税なしで引き出す、Ｒｏｔｈコンバージョン・ラダーと呼ばれる方法だ

"How to Access Retirement Funds Early," Mad Fientist, accessed August 29, 2018, https://www.madfientist.com/how-to-access-retirement-funds-early

２０１頁：〈ニューヨーク・タイムズ〉紙のウェブサイトに掲載されている〝買うか借りるか〟の無料計算式

Mike Bostock, Shan Carter, and Archie Tse, "Is It Better to Rent or Buy?," New York Times (The Upshot), accessed August 29, 2018, https://www.nytimes.com/interactive/2014/upshot/buy-rent-calculator.html

◉第10章：家族と節約

２２０頁：「ＦＩＲＥ哲学の欠点」と題された記事を読んだ

Steve, "Financially Independent Retired Early: Flaws with Philosophy?," Evergreen Small Business, July 23, 2017, https://evergreensmallbusiness.com/financially-independent-retired-early-flaws

２２６頁：Mr.マネーマスタッシュことピートも、「幸せこそが、唯一目指すべきこと」というブログ記事でこの点に触れている

“Happiness Is the Only Logical Pursuit, Mr. Money Mustache, June 8, 2016, https://www.mrmoneymustache.com/2016/06/08/happiness-is-the-only-logical-pursuit

◉第11章：夢の家VS夢の暮らし

236頁：〈ワシントンポスト〉紙でベンドの記事を読んだ

Nathan Borchelt, “Bend, Ore., a City You'll Love to Hate,” Washington Post (Travel), October 12, 2012, https://www.washingtonpost.com/lifestyle/travel/bend-ore-the-city-youll-love-to-hate/2012/10/04/9a7e2f10-042e-11e2-91e7-2962c74e7738_story.html

246頁：金融専門家マイケル・キッチェスのインタビューを思い出した

“Michael Kitces — The 4% Rule and Financial Planning for Early Retirement,” Mad Fientist, accessed August 29, 2018, https://www.madfientist.com/michael-kitces-interview

◉第12章：〝FIRE友〟作り

254頁：ちょうど僕らが島にいるときに記録的な豪雨により

John Hopewell, “Historic Rain Inundates Kauai, Cutting Off Hawaii Residents and Tourists with Floods and Mudslides,” Washington Post, April 17, 2018, https://www.washingtonpost.com/news/capital-weather-gang/wp/2018/04/17/historicrain-inundateskauai-cutting-off-hawaii-tourists-with-floods-and-mudslides/?utm_term=.919bea8b7e83

262頁：〝アイスマン〟の通称で知られるオランダ生まれのヴィム・ホフは、特殊な呼吸法で神経系および免疫系をコントロールすれば、極度の低温に耐えられる（エベレスト山に短パンで登るなど）ことを証明した

"Learn Everything You Need to Know about the Wim Hof Method," Wim Hof Method, accessed August 29, 2018, https://www.wimhofmethod.com

264頁：往復およそ13キロのこのトレイルは、たった6キロ半で標高900メートルあまり登るとあって、レーニア山頂を目指す登山者の足ならしとしてよく利用される

Christy Karras, "A First-Timer's Primer for Hiking Mount Si without Tears," Seattle Times (Travel), September 14, 2016, https://www.seattletimes.com/life/travel/a-first-timers-primer-for-hiking-mount-si-without-tears

【訳】富永晶子　Akiko Tominaga

翻訳家。英国王立音楽大学大学院卒。主な訳書に『「ボヘミアン・ラプソディ」オフィシャル・ブック』『「ロケットマン」オフィシャル・ブック』(竹書房刊)、『THE STAR WARS BOOK はるかなる銀河のサーガ 全記録』(講談社)、『ゴジラ vs コング アート・オブ・アルティメット・バトルロワイヤル』(DU BOOKS)、『ダース・ヴェイダーとメリー・シスマス！』(辰巳出版)、『スター・ウォーズ ビークルのすべて』(実業之日本社)、『マーベル・エンサイクロペディア』(小学館集英社プロダクション) などがある。

FIREを目指せ　最強の人生向上術　経済的自由を達成する方法

2021年12月23日　初版第一刷発行

著　スコット・リーケンズ

訳　富永晶子
カバーデザイン　石橋成哲
本文組版　IDR

発行人
後藤明信
発行所
株式会社 竹書房
〒102-0075
東京都千代田区三番町8-1
三番町東急ビル6F
email : info@takeshobo.co.jp
http://www.takeshobo.co.jp
印刷所
中央精版印刷株式会社